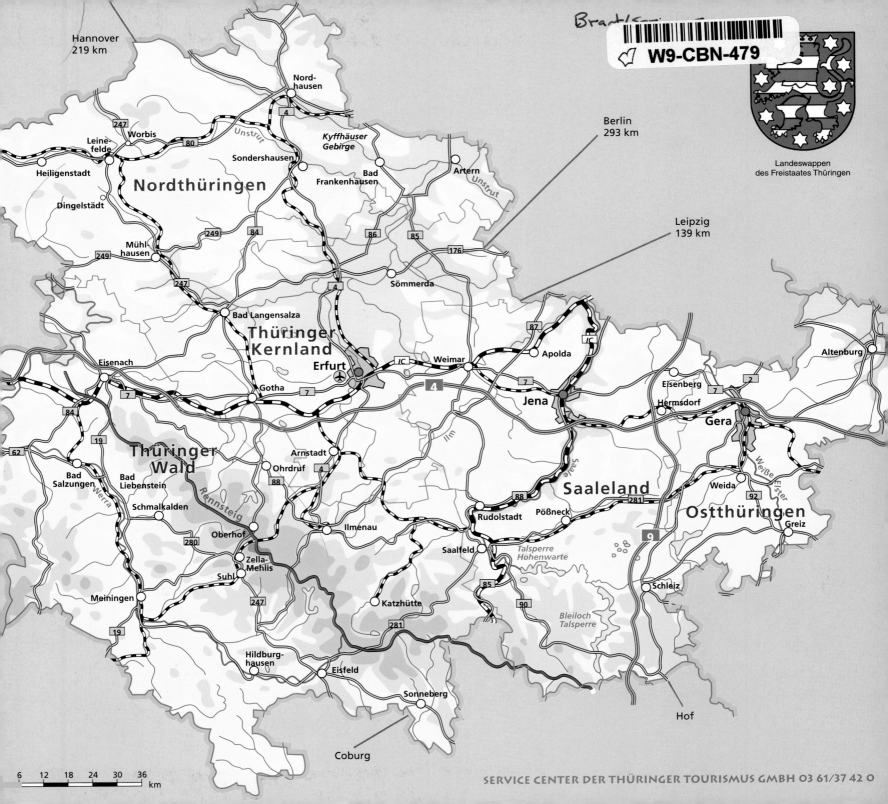

Farbbild-Reise durch das THÜRINGER LAND
Pictorial Tour of THURINGIA
Voyage á travers la THURINGE

THÜRINGER LAND
im Farbbild

Ein Bildband vom Land der Klassiker

Text: Günter Gerstmann
Farbfotos: Horst Ziethen, Fridmar Damm u.a.
Luftbilder: DLB / Bernhard Lisson

 ZIETHEN-PANORAMA VERLAG

VORWORT

Ich möchte diesem Bildband gute Wünsche mit auf den Weg geben. Es ist immer erfreulich, wenn neue Publikationen unser Land in der Mitte Deutschlands vorstellen. Es genügt ein Blick auf die Landkarte um zu erkennen, welche Chancen Thüringen allein aus seiner geographischen Lage erwachsen. Doch zentrale Lage, gute Verkehrsanbindungen und Datenhighways sind nur ein Markenzeichen Thüringens. In Thüringen sind nach der Wende Umbau und Veränderungen rascher erfolgt als anderswo. Dafür war der ökonomische Umbruch hier auch tiefgreifender, der Strukturwandel konsequenter. Mit dem Ergebnis, daß manches moderner ist als in den alten Ländern. Es hat sich herumgesprochen: Jede investierte Mark in Thüringen ist eine Investition in die Modernisierung des ganzen Standortes Deutschland. Wobei jedermann wissen muß: Es ist schon vieles gelungen, aber vieles bleibt auch noch zu tun.

Ein ganz besonderes Bild des Freistaats wird Ihnen in diesem Band präsentiert: Die unverwechselbare Vielfalt und Schönheit seiner Landschaften, seiner Städte und Ortschaften. Die Faszination Thüringens wird deutlich im Miteinander von Tradition und Fortschritt, in der Dynamik des wirtschaftlichen und gesellschaftlichen Aufbruchs. Drei Beispiele darf ich herausgreifen: Eisenach mit der Wartburg und dem neuen Opel-Werk, Erfurt als Stadt Martin Luthers und Wissenschaftsstandort durch die Neugründung der Erfurter Universität und Weimar, die Kulturhauptstadt Europas im Jahre 1999, die im Jahr von Goethes 250. Geburtstag zu einem Ort europäischer Begegnungen werden wird.

Mit der Vollendung der Einheit Deutschlands und der Wiedergründung der Länder Brandenburg, Mecklenburg-Vorpommern, Sachsen, Sachsen-Anhalt und Thüringen kehrten Städte und Landschaften in die Mitte des vereinten Deutschlands zurück, die unser Land im Herzen Europas als Kulturnation zutiefst geprägt haben. Ohne sie ist die Identität der Deutschen nicht vorstellbar.

Mein Wunsch: Der Bildband soll verlocken, sich die eine oder andere Landschaft, die im Bild zu sehen ist, und die in den Jahren der Trennung nicht oder nur schwer zugänglich war, als Reiseziel vorzunehmen. Wenn möglichst viele Deutsche aus den jungen Ländern in die alten und möglichst viele aus den alten in die jungen kommen, wird nicht nur erlebt, was die Einheit Deutschlands wieder möglich gemacht hat, sondern es gelingt auch immer mehr Einheit der Deutschen untereinander.

DR. BERNHARD VOGEL
THÜRINGER MINISTERPRÄSIDENT

Günter Gerstmann

Thüringer Land und die Straße der Klassiker

Thüringen kann man nicht „besichtigen", man kann es erwandern. So steht es in einem "Rennsteig"-Führer. Und kürzlich hörte ich den ungewöhnlichen Ausspruch: "Wenn man von der Welt nichts kennt, ist es gut, mit Thüringen anzufangen." Aber wo, an welchem Punkt? Da war von der Wartburg die Rede, dieser "deutschesten aller deutschen Burgen". Sie sei ja auch das "Haupt des Landes" von diesem Thüringen. Wenn man dies erfassen möchte, sei es am besten, den Bergfried zu besteigen: Von dieser "hohen Warte" reicht weit der Blick ins Thüringer Land, das "Grüne Herz Deutschlands". Es ist das Thüringer Becken mit seinen Flüssen und dem Thüringer Wald: das ist die Landschaft zwischen dem nördlichen Eichsfeld, der Werra und Rhön und Teilen des Frankenwaldes, im Osten das Vogtland, und auch der Harz und die Unstrut gehören dazu. Eine Totale der Mannigfaltigkeit, beschrieben und bewundert in langen Zeiträumen, so wie auch Goethe es getan hat: Am 13. September 1777 heißt es in einem Brief, den er auf der Wartburg an seine Freundin Charlotte von Stein geschrieben hat: ":...Hier oben! Wenn ich Ihnen nur diesen Blick... hinübersegnen könnte. In dem grauen, linden Dämmer des Mondes die tiefen Gründe, Wiesen, Büsche, Wälder und Waldblößen, die Felsen, Abgänge davor, und hinten die Wände... und die lieblichen Auen und Täler ferner hinunter, und das weite Thüringen hinterwärts, im Dämmer sich mit dem Himmel mischt." Von der Ilmenauer Landschaft schrieb er: "Die Gegend ist herrlich, herrlich!" Auf dem Goethe-Wanderweg vermag der Fremde noch heute des Dichters Spuren zu folgen und die Schönheit dieser Landschaft zu erleben.

Thuringia and the "Route of the Classics"

You cannot visit Thuringia, says a travel guide, you can only walk it. And not long ago I heard a remarkable statement - "If you don"t know anything about the world, Thuringia is a good place to start". Yes, but where, at what point? The first place that springs to mind is the Wartburg, that most German of German castles, which dominates the land in more ways than one. For a first impression, it is best to climb to the top of the castle keep. From this high watchtower there is an extensive view over Thuringia, the green heart of Germany. Here we can look over the rivers of the Thuringian basin and survey the Thuringian forest, which includes Eichsfeld in the north, the rivers Werra and Unstrut, the Rhön and Vogtland in the east and parts of the Harz and Frankenwald too. Here is Thuringia in all its multifarious aspects, described and admired by so many writers over the course of centuries. It was from the Wartburg on 13 September 1777 that Goethe wrote to his friend Charlotte von Stein, "...if I could only convey the blessing of the view to you...the deep valleys in the balmy grey moonlit dusk, the meadows, bushes, woods and clearings, the rocks and cliffs, the pleasant water-meadows and valleys farther below, and behind the great backcloth of Thuringia merging into the twilight sky". Of the Ilmenau landscape, he wrote "This area is splendid, splendid!" Today, those who wish can take pleasure from the same landscape by tracing Goethe"s footsteps on the Goethe Path.

The greatest attraction of the Thuringian landscape is the Thuringian forest, more beautiful, they say, than any other in the whole wide

La Thuringe et la Route des Classiques

La Thuringe ne se «visite» pas, elle se «parcourt», peut-on lire dans un guide de ce Land situé à l'Est de l'Allemagne. Récemment, j'ai entendu une réflexion insolite: «Quand on ne connaît rien» du monde, il vaut mieux commencer par la Thuringe.» Mais en quel endroit de cette région? Peut-être à la Wartburg le «plus allemand des châteaux allemands». La Wartburg est le «point culminant» de la Thuringe et si l'on grimpe en haut de son donjon, on découvrira un panorama immense sur le Land surnommé le «poumon vert de l'Allemagne». Il englobe le bassin de Thuringe parsemé de cours d'eau et le «Thüringer Wald» (Forêt de Thuringe). Une région qui s'étire entre les terroirs de l'Eichsfeld au Nord, les rivières Werra et Unstrut, les régions de la Rhön et du Vogtland à l'Est et qui comprend aussi des parties du Frankenwald et de l'Harz. Une multitude de paysages, chantés et admirés au cours des siècles, notamment par Goethe qui durant une visite à la Wartburg, décrivit ses impressions dans une lettre adressée le 13 septembre 1777 à son amie Charlotte von Stein. Le grand poète s'exclame sur le panorama se déroulant à ses pieds, baigné de la lueur tamisée de la lune qui enveloppe les profondeurs, les prés, les bosquets, les forêts et les clairières; il dépeint les rochers dressés entre des versants et des parois rocheuses et les vallées douces au lointain fermées par la Forêt de Thuringe qui se mêle au ciel dans le crépuscule. Enthousiasmé par les paysages de l'Ilmenau, il écrit: «La région est magnifique, magnifique!» Aujourd'hui encore, on découvre les traces du grand poète sur les chemins qu'il a parcourus et dont il a admirablement évoqué la beauté.

Thüringens großes Landschaftserlebnis ist der Thüringer Wald, und so schön wie er ist wohl kein anderer auf der weiten Welt. "Wie eine Welt für sich ragt er dort zum Himmel auf...!" Der Charakter des Thüringer Waldes ist im ganzen idyllisch, so weiß Ludwig Storch 1842 zu berichten: "...ja viele seiner schönen Täler haben sogar eine rein elegische Natur. Sie bergen in ihrem Schoße jene süße Schwermut, jene das Herz ergreifende, Sehnsucht weckende Sentimentalität, welche im unbestimmten Verlangen selbst Befriedigung findet." Heute ist die gesamte Berglandschaft touristisch voll erschlossen – Oberhof, Zella-Mehlis, Masserberg und andere Ortschaften sind Zentren des Fremdenverkehrs. Zu den schönsten Landschaften Thüringens zählt auch das romantische Schwarzatal.

Aber nirgendwo in Deutschland war die politische Zersplitterung des Landes so groß wie in Thüringen. Darüber hat auch Goethe gespottet, der als Minister des Herzogtums Sachsen-Weimar-Eisenach darüber Bescheid wissen mußte: "Hier... ist der eigentümlichste klassische Boden grenzenloser Absurditäten..." Bis 1918 war das Land heillos zersplittert in kleine und kleinste Herzog- und Fürstentümer und jedes wachte eifersüchtig über seine Souveränität. Bis ins 20. Jahrhundert zeigte die Karte von Thüringen 94 verschiedene Farbtönungen. Um sich ein Bild von der beispiellosen territorialen Zerrissenheit Thüringens machen zu können, muß man nicht alte Karten studieren. Es genügt, sehr genau auf die mundartlichen Dialekte zu hören, die eine große Vielfalt zeigen und damit bekunden, daß sich ein einheitlicher thüringischer Dialekt nicht

world. "It stretches up to the heavens like a world in itself," wrote Ludwig Storch in 1842. "Its character is primarily idyllic, indeed, many of its fine valleys possess a purely elegaic nature. They bear within them a core of sweet melancholy, a sentimentality that touches the heart and awakens that longing which finds fulfilment in indefinite desire." Today the whole mountainous landscape has become the domain of the visitor, and places like Oberhof, Zella-Mehlis and Masserberg and the romantic Schwarzatal are now tourist centres.

Nowhere in Germany have political divisions been as marked as in Thuringia. Even Goethe mocked this trait, and as the Minister of the Duchy of Saxe-Weimar-Eisenach he was well equipped to judge. He found it, as he wrote, extremely odd; the "classical soil of boundless absurdities." Up to 1918 the land consisted of a hopelessly confused conglomeration of small and miniature princedoms and duchies, each of which kept jealous guard over its sovereignty. Right up to the 20th century, there were ninety-four different colours on the map of Thuringia. But it is not necessary to have a map to illustrate the unrivalled territorial fragmentation of Thuringia. It suffices simply to listen to some of the multitude of local dialects to realize that the historical partitioning of land has not even permitted agreement on a common form of speech.

Thuringia has always been a impoverished region, whose inhabitants scraped a living from glass-blowing and the manufacture of toys and

Le Thüringer Wald (Forêt de Thuringe) est le joyau de cette région, une montagne moyenne boisée si belle qu'on la dit unique au monde. «Elle s'élève vers le ciel comme un monde en soi...!» Ludwig Storch en décrit le caractère idyllique dans un de ses ouvrages datés de 1842: «Tant de ses belles vallées ont une nature élégiaque. Leurs profondeurs abritent une douce mélancolie, des pensées romantiques qui touchent les coeurs et éveillent des désirs...» La région entière s'est aujourd'hui ouverte au tourisme. De nombreuses localités dont Oberhof, Zella-Mehlis, Masserberg sont des lieux de séjour très appréciés de même que la vallée romantique du Schwarzatal aux paysages splendides.

Aucune région d'Allemagne n'a connu autant de divisions politiques que la Thuringe. Goethe qui fut ministre du duché de Saxe-Weimar-Eisenach qualifia à bon escient la région de puits d'absurdité infinie. Jusqu'en 1918, elle fut morcelée en une multitude de petits duchés et principautés qui veillaient jalousement sur leur souveraineté. La carte historique de la Thuringe présentait encore une mosaïque de 94 nuances différentes au début du 20e siècle.Il n'est pas nécessaire d'étudier d'anciennes cartes pour se faire une idée du découpage territorial sans précédent de la Thuringe. Il suffit d'écouter les patois différents utilisés dans des endroits parfois peu éloignés les uns des autres pour comprendre que les nombreuses frontières n'ont jamais permis la création 'un dialecte thuringien commun.

La Thuringe a toujours été un pays pauvre. Sa population tirait ses ressources de la fabrication

entwickeln konnte. Thüringen ist von jeher ein armes Land gewesen, dessen Bewohner sich mit Glasbläserei, mit der Herstellung von Spielwaren und Meerschaumpfeifen ernährten. Und dennoch bemerkte die Schriftstellerin Ricarda Huch (1864-1947): "Dies kleine, bärmliche Land hat viel des Großen und Schönen hervorgebracht und seine Funktion als Herz Deutschlands preiswürdig ausgeübt. Was für Bilder beschwören den, der die deutsche Geschichte kennt, die Namen Naumburg, Erfurt, Weimar, Jena, Eisleben, Eisenach! Von allen den vielen Burgen und Schlössern Deutschlands ist keine unserem Gedächtnis so liebevoll eingeprägt wie die Wartburg. Schlank, lieblich, fest und kühn hebt sie sich aus flimmernden Wäldern, winkt sie festlich ins Tal." Diese Burg ist verknüpft mit wichtigen Ereignissen der deutschen Geschichte – wie dem mittelalterlichen Sängerkrieg und Luthers sprachliche Meisterleistung der Bibelübersetzung. Die Bedeutung der Wartburg als ein herausragendes Denkmal deutscher Geschichte wurde vom Weimarer Großherzog Carl Alexander erkannt, der sie im vergangenen Jahrhundert wiederaufbauen ließ.

Thüringen bietet als eine weitere Einmaligkeit: die „Klassiker-Straße". Diese Straße vereint in ihrer Länge von etwa 300 km all die Orte, die mit dem Leben und Wirken der großen deutschen Klassiker verbunden sind. Wie auf einer Perlenschnur sind sie aufgereiht: Eisenach, Gotha, Erfurt, Weimar, Jena und im Süden Rudolstadt, Ilmenau und Meiningen. Doch sollte man diese Städte nicht nur auf ihre Bedeutung für die Klassiker begrenzen. In Gotha sollte man unbedingt

meerschaum pipes. Nevertheless, the writer Ricarda Huch (1864-1947) noted that "this small, insignificant land has produced much that is great and beautiful, and it is praiseworthy how it has fulfilled its role as the heart of Germany. For those who are acquainted with German history, what images are conjured up by the names of Naumburg, Erfurt, Jena, Eisleben and Eisenach! And above all, of the many castles and palaces in Germany, none is so clearly and so affectionately etched on our memory as the Wartburg. Slim and charming, yet stalwart and bold, it soars above the shimmering woodlands and gravely salutes the valley below." This castle is intimately bound up with significant episodes in German history such as the medieval singers" contest and Luther"s masterly translation of the Bible. Grand Duke Carl Alexander of Weimar was well aware that the Wartburg was a significant feature of German history when he had the castle restored in the 19th century.

Another unique aspect of Thuringia is the route of the classics, a 300-kilometre-long road which links a succession of places connected with the life and work of Germany"s greatest classical authors. They are strung along the way like pearls on a chain: Eisenach, Gotha, Erfurt, Weimar, Jena and in the south Rudolstadt, Ilmenau and Meiningen. But it would be a mistake to confine the appeal of these towns to their connections with the classical literature of Germany. Gotha, for instance, is worth a visit for its monumental Schloss Friedenstein, one of the largest Early Baroque castles in Germany, which also has a notable picture gallery. In addition, the castle

de verreries, de jouets et de pipes d'écume. Néanmoins, Ricarda Huch, une des plus grandes femmes écrivains de son temps (1864-1947) déclarait: «Cette modeste région a engendré de belles et grandes choses et rempli avec honneur sa fonction de coeur de l'Allemagne. Que d'images admirables évoquent les noms Naumburg, Erfurt, Weimar, Iéna, Eisleben à ceux qui connaissent l'histoire d'Allemagne. De tous les châteaux et palais allemands, aucun n'est plus tendrement enfermé dans notre mémoire que le château de la Wartburg. Elancé, gracieux, mais aussi d'aplomb et hardi, il s'élève au-dessus des forêts scintillantes et salue la vallée.» La Wartburg raconte des pages captivantes de l'histoire allemande - elle fut le lieu de naissance de la célèbre épopée médiévale «Sängerkrieg» et le refuge de Luther qui y traduisit la Bible en langue vernaculaire. La Wartburg, un des plus grands monuments de l'histoire allemande, fut restaurée au siècle dernier sous le règne du grand-duc Charles-Alexandre de Weimar.

La Thuringe offre une autre curiosité unique: la route des Classiques. Cette route, longue d'environ 300 km, réunit tous les lieux associés à la vie et aux oeuvres des grands auteurs classiques allemands. Ces endroits s'égrènent comme les perles d'un collier: Eisenach, Gotha, Erfurt, Weimar, Iéna, Rudolstadt, Ilmenau et Meiningen. Il ne faut toutefois pas limiter ces villes à leurs célèbres résidents. Gotha par exemple abrite Schloss Friedenstein, un des plus grands ensembles de style baroque allemand.L'édifice monumental renferme une splendide galerie de peintures et un des plus anciens théâtres baroques

auch das monumentale Schloß Friedenstein, eine der größten Anlagen des deutschen Früh-barocks, mit seiner wertvollen Gemäldegalerie besichtigen. Es birgt zudem eines der ältesten barocken Schloßtheater mit einer originalen Bühnenmechanik.

Thüringen ist ein Burgenland. Im Städtedreieck Apolda-Weimar-Jena liegt eine der größten Wasserburgen - Kapellendorf. Sie war im Oktober 1806 Hauptquartier der preußischen Truppen, die von Napoleon am 18. Oktober bei Jena vernichtend geschlagen wurden.Jena selbst war zu diesem Zeitpunkt durch seine 1558 gegründete Universität ein geistiger Mittelpunkt Deutschlands, ein Zentrum der Philosophie und Romantik. Hier wirkten Fichte, Schelling und Hegel. Goethe war häufig in dieser von ihm bezeichneten "Stapelstadt des Wissens und der Wissenschaften", wo er naturwissenschaftliche Studien betrieb und wo er den "Zwischenkiefer-knochen" des Menschen entdeckte. Für ein Jahrzehnt (1789-1799) lebte Schiller in Jena. Goethe hatte ihm an der Universität eine Professur für Geschichte vermittelt.

Jena ist auch die Wiege der feinmechanisch-optischen Industrie und der Glasindustrie. Carl Zeiss, Ernst Abbe und Otto Schott ist es zu verdanken, daß die in Jena gefertigten wissenschaftlichen Präzisionsgeräte Weltruhm erlangten. Das Zusammenwirken von Wissenschaft und Technik bestimmen die Entwicklung der Stadt bis in unsere Zeit.

houses one of the oldest Baroque court theatres, whose scenery has been maintained in its original form.
Thuringia"s castles are attractive places to visit. As an example, there is Kapellendorf, which lies within the triangle created by Jena, Weimar and Apolda. One of the largest moated castles in the land, it became the headquarters of the Prussian troops in 1806 before their crushing defeat in Jena at the hands of Napoleon on 18 October. At this time Jena was centred round its university, founded in 1558, and it had thus become an intellectual centre of Gemany, a focal point for philosophers and for the Romantic movement. Fichte, Schelling and Hegel all worked in Jena and Goethe was a frequent visitor to the town that he once described as a "storehouse of knowledge and science." He himself undertook scientific experiments in Jena, whereby he discovered the human intermaxillary bone. For a whole decade (1789-99) the great poet Schiller was also resident in Jena, where Goethe had procured him the post of Professor of History at the university.

Jena is also regarded as the cradle of the glass industry and the precision-engineered optical industry. Thanks to the pioneering work of Carl Zeiss, Ernst Abbe and Otto Schott, precision instruments manufactured in Jena have become world famous, and the collaboration between science and technology has proved a decisive factor in the growth of Jena until our own time.

Not far from Jena are the Dornburger castles - a uniquely harmonic combination of scenery and

possédant encore ses décors d'origine. Les châteaux de Thuringe promettent des visites fascinantes: Kapellenhof situé dans le triangle formé par les villes Iéna, Weimar et Apolda est un des plus grands châteaux entourés de douves du pays. En octobre 1806, l'armée prussienne y installa son quartier-général avant d'être vaincue par Napoléon à Iéna le 18 du même mois. A cette époque, Iéna dont l'université fut fondée en 1558, était une des principales villes culturelles allemandes, un centre de la philosophie et du romantisme. Les philosophes Fichte, Schelling et Hegel y travaillèrent tandis que Goethe venait fréquemment séjourner dans «la ville du savoir et de la science» où il s'adonnait à des travaux scientifiques et découvrit «l'intermaxillaire de l'Homme». L'illustre poète Schiller vécut dix ans à Jena (1789-1799) après que Goethe lui eut procuré une chaire d'histoire à l'université.

Jena est également le berceau de l'industrie du verre et de l'optique. La ville est aujourd'hui mondialement connue pour sa fabrication d'appareils de haute précision, grâce aux grands industriels et précurseurs Carl Zeiss, Ernst Abbe et Otto Schott. La collaboration de la science et de la technique a déterminé le développement de la ville jusqu'à nos jours.Les châteaux de Dornburg s'étendent à proximité de la ville. Ils constituent un ensemble unique de nature et d'architecture, d'histoire, d'art et de littérature. Goethe venait fréquemment au château de Dornburg qu'il immortalisa dans son oeuvre: «Poèmes de Dornburg», écrite lors de son dernier séjour en 1828. Au-dessus de l'entrée de l'édifice, le visiteur peut lire un vers que Goethe

Unweit von Jena liegen die Dornburger Schlösser – ein einzigartiger Zusammenklang von Landschaft und Architektur, von Geschichte, Kunst und Dichtung. Wer heute nach Dornburg kommt, ist tief beeindruckt von dieser Schloßanlage, die ganz ungewöhnlich für die Topographie des mitteldeutschen Raumes ist. Goethe weilte oft hier; sein letzter Aufenthalt von 1828 ist durch seine hier verfaßten "Dornburger Gedichte" in die Literaturgeschichte eingegangen. Den Besucher grüßen die über dem Eingang stehenden Verse, die der Dichter aus dem Lateinischen übersetzte: "Freudig trete herein und froh entferne dich wieder, gehst du als Wanderer vorbei, segne die Pfade dir Gott!"

Von Dornburg ist es nicht weit hinüber nach Tautenburg, wo sich im Sommer 1883 Friedrich Nietzsche mit Lou Andreas-Salome traf und wo im Mai 1945 Ricarda Huch das Ende des Zweiten Weltkrieges erlebte. Und nicht zu vergessen: Das mittlere Saaletal mit seinen reichen Orchideen-Vorkommen gehört zu den bedeutenden Landstrichen Thüringens. Beeindruckend ist die Ursprünglichkeit dieser Landschaft, eingefaßt in sanft freundliche Bergketten, deren terrassenförmige Anordnung auf der Südseite noch heute den einstigen Weinanbau verrät. Der Besucher erlebt jene feine, durchkultivierte Natur, die uns Goethe bewußt gemacht hat. Das mittlere Saaletal gehört zu den Landschaften Thüringens, die touristisch immer weiter erschlossen werden. Dazu trägt auch die Goethe-Gedenkstätte Kochberg bei, die in der Nähe von Rudolstadt liegt und der einstige Sommersitz der Frau von Stein war. Auch Rudolstadt war eine fürstliche Residenz. Das Stadtbild wird beherrscht von der mächti-

architecture, of history, art and poetry. The visitor to Dornburg cannot fail to be deeply impressed by this castle, which is extremely unusual in the topography of the medieval landscape. Goethe stayed here many times, and his final visit has gone down in literary history, for it was here that he conceived the "Dornburger Poems". One of his verses, translated from the Latin, is inscribed above the entrance to the castle: "Enter with joy, depart with cheer, and if you chance to wander past, may God bless the paths you tread."

From Dornburg it is not far to Tautenburg, where Friedrich Nietzsche met Lou Andreas Salome in the summer of 1883, and where in 1945 Ricarda Huch lived through the final stages of the Second World War. The central reaches of the valley of the Saale, a tributary of the Elbe, are also worth a mention, for this is one of the most delightful parts of Thuringia, and nowhere in Germany do as many orchids grow as here. The countryside has a natural beauty. The central Saale valley is set between gently rolling hills in a variegated and undulating arena, and the terraces on the southern slopes bear witness to the fact that vineyards were once cultivated on these hillsides. Nature shows its delicate, refined side here, the aspect that Goethe revealed to us. This part of the Saale valley is one of the areas of Thuringia that has become increasingly popular with tourists, not least due to Goethe"s connection with Kochberg, near Rudolstadt, once the summer residence of his close friend Charlotte von Stein. Rudolstadt itself was a residence of aristocrats. The town is dominated by the mighty bulk of Heidhecksburg, one of the largest castles in Thuringia. Two exceptional rulers of the land,

traduisit du latin: «Entre dans la joie et repars dans la gaieté. Si tu es un randonneur passant sur le chemin, que Dieu bénisse ta route.»

Dornburg n'est pas très éloignée de Tautenburg où Friedrich Nietzsche rencontra sa muse Lou Andreas-Salomé en 1883 et où Ricarda Huch vécut la fin de la seconde guerre mondiale en mai 1945. Le «mittlere Saaletal» ou vallée moyenne de la Saale, un affluent de l'Elbe, est une des régions les plus captivantes de la Thuringe, réputée notamment pour ses vastes cultures d'orchidées. Le «Saaletal» impressionne par la beauté naturelle de ses paysages qui s'insèrent entre des crêtes douces et dessinent des vallons dont les versants sud descendent en terrasses sur lesquelles la vigne poussait autrefois. Ici, les visiteurs découvrent la nature délicate chantée par Goethe. Le «mittlere Saaletal» s'ouvre de plus en plus au tourisme. On y vient pour goûter sa nature, mais aussi pour y suivre les traces de Goethe qu'on retrouve par exemple à Kochberg, l'ancienne résidence d'été de Charlotte von Stein, située près de Rudolstadt.

Rudolstadt fut également une résidence princière. La Heidecksburg, un des plus imposants châteaux-forts de Thuringe, domine la physionomie de la ville. L'édifice monumental fut le centre de la culture courtoise durant les règnes des princes Friedrich-Anton et Johann-Friedrich dont l'influence sur la littérature, les arts et la science allait se répercuter pendant longtemps. Les deux souverains posèrent les bases de l'épanouissement culturel que la ville connut au tournant du 19e siècle et auquel participèrent entre

gen Heidecksburg, eine der größten Schloßanlagen Thüringens. Sie war das Zentrum der höfischen Kultur unter der Regentschaft der Fürsten Friedrich Anton und Johann Friedrich, die als Landesherren das Geistesleben, die Kunst und Wissenschaft nachhaltig beeinflußten. Sie schufen die Grundlagen für eine kulturelle Blütezeit der Residenz zur Wendezeit ins 19. Jahrhundert, die u.a. mit Persönlichkeiten wie Schiller, Goethe, Alexander und Wilhelm von Humboldt verbunden war. Man muß durch alle diese Schlösser und Residenzen südlich und nördlich des Thüringer Waldes bummeln, um zu erahnen, welche Lust am Schönen sich hier über viele Generationen entfalten konnte. Wo andere Potentaten Kriege führten und ihre Untertanen in grenzenlose Not und Armut versetzten, sammelten die Thüringer Gemälde und legten Kunstsammlungen an, machten Musik oder verschrieben sich der Theaterleidenschaft wie der Herzog Georg II. von Sachsen-Meiningen, einer der bedeutenden Mäzene des ausgehenden 19. Jahrhunderts. Er reiste mit seiner Theatergruppe, den "Meiningern", durch ganz Europa und förderte an seinem Hof Musiker wie Franz Liszt, Richard Strauss und Max Reger. Der Wappenspruch der Herzöge von Sachsen-Gotha "Friede ernehrt, Unfriede verzehrt" steht über dem Portal von Schloß Friedenstein in Gotha.

"Thüringen ist und bleibt nach den Rheingegenden mir der liebste Landstrich in Deutschland. Es ist so etwas Heimisches, Befreundetes in dem Boden; wie ein alter herzlicher Jugendfreund heißt er den Wanderer willkommen." (Friedrich Gottlob Wetzel, 1779-1819)

Count Friedrich Anton and Count Johann Friedrich, exerted a long-lasting influence on the intellectual, artistic and scientific life of the area. As a result of their efforts, the court culture of Heidhecksburg flourished at the close of the eighteenth century and was bound up with illustrious names like those of Schiller, Goethe, and Alexander and Wilhelm von Humboldt. Here in Thuringia, both north and to the south of the Thuringian Forest, the desire for beauty drove one generation after another to build palaces and residences, and the best way to appreciate them is to explore them at leisure. Where other potentates waged war and subjected their subjects to immeasurable poverty and hunger, the lords of Thuringia collected paintings, accumulated works of art, made music or succumbed to their passion for the theatre. Duke George II of Saxe-Meinigen, one of the most influential patrons of the late nineteenth century, not only travelled with his Meiningen theatre group all over Europe but also encouraged the work of leading composers such as Franz Liszt, Richard Strauss and Max Reger. The motto on the coat of arms of the Dukes of Saxe-Meiningen - "Accord sustains, discord devours" - is inscribed above the gateway of Schloss Friedenstein in Gotha.

Friedrich Gottlieb Wetzel (1779 - 1819) chose Thuringia as one of his favourite regions of Germany. There was, he wrote, something homely and friendly about the atmosphere, "and like an old and affectionate friend of one"s youth, it always has a welcome for the wanderer."

autres Schiller, Goethe ainsi que les frères de génie Alexandre et Wilhelm von Humboldt.

C'est en explorant tous ces châteaux et villes de résidences princières au Nord et au Sud de la forêt de Thuringe que l'on se rend compte combien le désir de créer la beauté imprégna de nombreuses générations. Tandis que les potentats d'autres Etats allemands guerroyaient et plongeaient leurs sujets dans la misère, les souverains de Thuringe rassemblaient des collections d'art, s'entouraient de musiciens ou se passionnaient pour l'art théâtral comme le duc George II de Saxe-Meiningen, un des plus grands mécènes du théâtre à la fin du 19e siècle. Il accompagna sa troupe «Les Meiningern» à travers toute l'Europe et invita à sa cour des musiciens tels que Franz Liszt et Richard Strauss. La devise des ducs de Saxe-Gotha est gravée au-dessus du portail du château Friedenstein à Gotha: «La paix nourrit, la dissension détruit».

«La Thuringe est ma région préférée d'Allemagne après les provinces rhénanes. Quelque chose de familier, d'amical émane de son sol; il souhaite la bienvenue au randonneur comme un vieil ami d'enfance».
(Friedrich Gottlob Wetzel, 1779-1819).

„Wart' Berg, du sollst mir eine Burg werden!" Mit diesem Versprechen legte Ludwig der Springer 1067 den Grundstein zur "deutschesten aller Burgen". Urkundlich wurde die Wartburg 1080 zum erstenmal erwähnt. Der spätromanische Palas, der wertvollste und älteste Teil der Burg, entstand 1168. Hier soll auch im Mittelalter der legendäre Sängerkrieg stattgefunden haben. Ihren romantischen Glanz erhielt die Burg auf Goethes Anraten erst 1838 durch die vom Weimarer Großherzog Carl Alexander vorgenommene Restaurierung.

It was in the 11th century that this conspicuous 'Berg', or hill, became a 'Burg', or fortress. The foundation stone for the 'most German of German castles' was laid in 1067 by Count Ludwig (famed for fleeing his foes by a legendary jump from the castle walls). Although the Wartburg was first recorded in 1080, the Late Romanesque keep, dates from 1168. Tradition has it that the Wartburg was the scene for the ministrels' song contest commemorated centuries later in Wagner's opera 'Tannhäuser'. The castle was restored in 1838.

En 1067, Ludwig der Springer posait la première pierre du château de la Wartburg qui devint la résidence des landgraves de Thuringe. La Wartburg est mentionnée pour la première fois dans un document en 1080. Le corps d'habitation de l'édifice, construit en style roman tardif en 1168, est la partie la plus ancienne du château. C'est ici que deux auteurs inconnus écrivirent le célèbre poème épique intitulé «Sängerkrieg» dans la deuxième moitié du 13e siècle. La Wartburg fut agrandie et restaurée sur les conseils de Goethe à partir de 1838.

Der Festsaal im Palas mit seiner reichen Ausstattung gehört mit dem Landgrafenzimmer, dem Sängersaal, der Lutherstube und der Elisabethenkemenate zu den geschichtsträchtigsten Räumen der Burg. Hier versammelten sich im Oktober 1817, zum 4. Jahrestag der Völkerschlacht bei Leipzig, Studenten von elf deutschen Universitäten, um Einigkeit und Freiheit für ein einziges deutsches Vaterland zu fordern. – Die Fresken von Moritz von Schwind zeigen aus der Geschichte der Wartburg den sagenumwobenen Sängerkrieg .

From a historical point of view, the most interesting rooms in the Wartburg are the richly decorated Banqueting Hall, the Landgrave's Hall, the Minstrels' Hall, Luther's chamber and St Elisabeth's apartments. It was in the Banqueting Hall that in 1817, on the fourth anniversary of the Battle of Leipzig, students from eleven German universities congregated to demand that the fragmented lands of Germany should become a single, free and united country. The 19th century frescoes by Moritz von Schwind depict episodes from the history of the Wartburg.

La salle des fêtes richement décorée, la salle du landgrave, la «Sängersaal» nommée d'après le titre de l'épopée légendaire, le logis de Luther et l'appartement des femmes où vécut Sainte Elisabeth évoquent la riche histoire du château. En octobre 1817, à l'occasion du 4e anniversaire de la victoire sur Napoléon près de Leipzig, une assemblée d'étudiants venus de onze universités se réunit ici pour réclamer un seul Etat allemand uni et libre. Les fresques que Moritz von Schwind réalisa au 19e siècle illustrent des événements qui se passèrent au château .

IN DIESEM SAA
STREIT GEHA
DEM GEBURTS

E DER SÆNGER-
N 7ten JULI 1207
EIL: ELISABETH

Dr. Martin Luther

"Ich laß mich eintun und verbergen..." schrieb Martin Luther seinem Freund Lucas Cranach, als er am 4. Mai 1521 vor der gegen ihn verhängten "Reichsacht" auf die Wartburg floh. Sein Wittenberger Thesenanschlag hatte die Reformation ausgelöst und Deutschland erschüttert. Für Bruder Martinus aber, der sich als "Junker Jörg" auf seinem "Patmos", wie er die Burg bezeichnete, verbarg, begannen "Hundert Tage Einsamkeit". Hier übersetzte er das Neue Testament.

Dr. Martin Luther

In 1517 Dr Martin Luther launched a fierce attack on the Pope which was to shake up all Germany and start the movement known as the Reformation. By 1521 Luther had been excommunicated for his revolt against ecclesiastical authority and found himself an outlawed and condemned man. Refusing outright to recant, he was aided by the Elector of Saxony and took refuge in the Wartburg. Determined to bring the Bible closer to the people, he spent his time in the castle translating the New Testament into German.

Martin Luther

„Je vais me cacher...»écrivit Martin Luther à son ami Lucas Cranach quand il dut s'enfuir après avoir été mis au ban de l'Empire le 4 mai 1521. Ses 95 thèses affichées à la porte de l'église de Wittenberg furent le point de départ de la Réforme et enflammèrent l'Allemagne. Son protecteur, Frédéric de Saxe, le cacha à la Wartburg. Frère Martinus passa «Cent jours de solitude « dans son «Patmos» ainsi qu'il appelait la Wartburg. c'est ici qu'il commença la traduction de la Bible en langue allemande.

"Dr. Luthers Stube" nannte man schon zu Zeiten des Reformators seinen zum "Kavaliersgefängnis" gehörenden Wohnbereich im Vogteigebäude. In die Bohlen sind seit dem 16. Jahrhundert viele Erinnerungen geschnitten. Am spektakulärsten aber ist der legendäre "Tintenklecks", der entstanden sein soll, als Luther sein Schreibzeug nach dem Teufel warf. Ein Holzschnitt von Cranach ziert den weitgehend im originalen Zustand erhaltenen malerischen Raum .

This simple room in the Governor's residence, christened 'Dr Luther's Chamber,. is in the part of the building which once served as a prison for high-ranking convicts. Many marks have been carved into the wooden boards of the chamber's walls since the sixteenth century. Among the most spectacular is an ink-stain, which, the legend relates, resulted from Luther throwing his inkpot at the devil, who was struggling with him. This attractive room with its fine old bay window has largely been preserved in its original state.

La partie de l'intendance que le réformateur habita durant son «exil» fut d'ores et déjà nommé «Logis du Dr Luther» par les gens de son époque. Des souvenirs taillés dans les madriers rappellent la présence du célèbre habitant des lieux. Mais le souvenir le plus spectaculaire est la légendaire «tache d'encre» que Luther fit quand il jeta sa plume en maudissant le diable. Une gravure sur bois de Lucas Cranach décore la pièce qui a pratiquement conservé son apparence d'origine et possède de très belles vitres en culs-de-bouteille.

Die Stadt gründete sich zur gleichen Zeit wie die über ihr thronende Wartburg. "Pfaffennest und geistlicher Stapelort" spottete Martin Luther, der hier von 1498 bis 1501 die Lateinschule besuchte und dessen Denkmal bei der Nikolai-Kirche und dem Nikolaitor 1895 aufgestellt wurde. Die Stadt besitzt ein Fritz-Reuter- und ein Richard-Wagner-Museum und eine der bedeutendsten Porzellan-Sammlungen Thüringens. Ende des 19. Jahrhunderts hielt die Industrie mit dem Automobilbau Einzug.

Eisenach was founded at the same time as the nearby Wartburg, which still dominates the view. 'A nest of parsons and a religious warehouse' was Luther's uncomplimentary verdict on Eisenach. He attended the Latin School here from 1498 to 1501, and four centuries later, in 1895, a monument to the great reformer was erected between St Nicholas's church and the St Nicholas gateway. Visitors to Eisenach should not miss seeing the Richard Wagner museum and one of Thuringia's finest porcelain collections.

Eisenach, siège des landgraves de Thuringe, fut fondée à la même époque que le château de la Wartburg qui domine la ville. Luther y fréquenta l'école de latin dans sa jeunesse, de 1498 à 1501. Son monument se dresse près de l'église Saint-Nicolas et de la porte Saint-Nicolas depuis 1895. La ville abrite le musée Fritz-Reuter, le musée Richard-Wagner et une des plus belles collections de porcelaine de Thuringe. Elle devint également un fief de l'industrie automobile à la fin du 19e siècle.

Im Zentrum der Stadt, am Frauenplan, steht das Bachhaus. Es erinnert an den großen Johann Sebastian Bach, der am 21. März 1685 als siebter Sprößling des Stadtpfeifers Bach in Eisenach geboren wurde. Die Innenräume der Bach-Gedenkstätte vermitteln die Wohnverhältnisse zu Bachs Zeiten und enthalten eine wertvolle Sammlung historischer Musikinstrumente. An der südlichen Hangseite schließt sich ein reizvoll begrünter Hof an. - Das Bach-Denkmal vor dem Gebäude schuf Adolf von Donndorf im Jahre 1884.

In the centre of the town, in Frauenplan, stands the Bach House. It is a memorial to Johann Sebastian Bach, who was born in Eisenach on 21 March 1685, the eighth child of the town musician Ambrosius Bach. The interior of the house conveys an excellent impression of everyday living condi-tions during Bachs time and also contains a valu-able collection of historical musical instruments. On the slope on south side of the house there is a char-ming leafy courtyard. The J.S. Bach monument which stands in front of the house was designed by Adolf von Donndorf and dates from 1884.

La maison Bach se dresse près du Frauenplan au centre-ville. Elle rappelle le célèbre Jean-Sébastien Bach qui naquit à Eisenach le 21 mars 1685, septième enfant du musicien Bach. L'intérieur de la demeure évoque le mode de vie à l'époque de Bach et renferme une collec-tion précieuse d'instruments de musique anciens. Une ferme pittoresque jouxte la maison sur le côté sud. - Le monument de Bach qui se dresse devant l'édifice a été sculpté par Adolf von Donndorf en 1884.

Als "oppidum Saltza" ließ Kaiser Otto IV. 1222 die Niederlassung befestigen. Der mittelalterliche Stadtkern um Markt, Kornmarkt und Bonifatius-kirche ist gut erhalten. Die Stadt, im Thüringer Becken gelegen, entwickelte sich durch Handel mit Färberwaid zu einem bedeutenden wirt-schaftlichen Zentrum, das sich 1828, unter Beru-fung auf seine Schwefelheilquellen, den Namen "Bad" zulegte. In einem der schönsten Gebäude am Markt wurde der Arzt Christoph Wilhelm Hufe-land geboren.

This was an important settlement in medieval times, and Emperor Otto IV had strong defences built around the town in 1222. Parts of the walls still stand, and the medieval town centre around the market-place, the Corn Market and the church of St Boniface have also been well pre-served. Bad Langensalza, situated in the low-lands of Thuringia, flourished as a trading centre, and until the discovery of indigo was famed for its production of the blue dye extracted from the woad plant. In 1828 it became a recognized health resort.

„Oppidum Saltza» est le nom que prit la localité après que l'empereur Otton IV l'avait faite fortifier en 1222. Le coeur médiéval de la ville, très bien conservé, englobe la place du Marché, le Marché au Blé (Kornmarkt) et l'église Saint-Boniface. Située dans le bassin de Thuringe, la ville devint un centre économique important grâce au commer-ce du pastel. Depuis 1828, elle est une ville ther-male en raison de ses sources d'eau sulfurées. Christoph Hufeland, médecin de Goethe et Schil-ler, est né dans une des splendides maisons la place du marché.

GOTHA, Rathaus

Schöne Bürgerhäuser, die sorgfältig restauriert wurden, umsäumen den Hauptmarkt, auf dem sich eines der schönsten Rathäuser Thüringens befindet. Der Renaissancebau von 1567-1577 war ursprünglich ein Kaufmannshaus, später einige Zeit ein Herzogssitz, bevor das Schloß gebaut wurde. In Gotha wurden die Grundlagen für das Feuer- und Versicherungswesen in Deutschland durch die Gothaer-Versicherung in den zwanziger Jahren des vorigen Jahrhunderts geschaffen. Mit der "Thüringer Waldbahn" erreicht man schnell Tabarz und damit den Thüringer Wald.

GOTHA, Town Hall

Gotha traces its origins to an eighth-century village named Gotaha. The main market place, is surrounded by attractive and carefully restored old burghers' houses. Here too stands the town hall, one of the finest in Thuringen. It is a work of the Renaissance, built between 1567 and 1577, and originally served as a merchant's house. Later it became a ducal palace until the rulers of Gotha built their own residence, Schloss Friedenstein. The Thuringian Forest can easily be reached from Gotha by taking the Forest Railway to Tabarz.

GOTHA, l'hôtel de ville

De magnifiques maisons patriciennes admirablement restaurées entourent la place du Marché dominée par un des plus beaux hôtels de ville de Thuringe. L'édifice de style Renaissance, bâti de 1567 à 1577, fut d'abord la demeure d'un marchand, puis plus tard celle d'un duc avant la construction de son château. C'est ici que fut fondée la première compagnie d'assurances contre le feu dans les années vingt du siècle dernier. Avec le train appelé «Thüringer Waldbahn», on arrive rapidement à Tabarz et dans la forêt de Thuringe.

"Nicht reichlich Einnahmen, sondern sparsames Ausgeben macht reich." Nach dieser Devise regierte Herzog Ernst I. (genannt "der Fromme") aus dem Hause Sachsen-Weimar und ließ den "Friedenstein" von 1643-1654 erbauen – die größte frühbarocke Schloßanlage Deutschlands. Darin gründete Konrad Ekhof das nach ihm benannte Theater. Zu den Kostbarkeiten der Schloßsammlungen gehören das "Gothaer Liebespaar" und der "Gothaer Tafelaltar" sowie die Cranach-Sammlung.

Wealth springs not from large income but from small outlay – that was the ruling principle of Duke Ernst I of Saxe-Weimar, named Ernst the Pious. Yet it was Duke Ernst who between 1643 and 1654 built the imposing Schloss Friedenstein, the largest palace in Early Baroque style in Germany. The interior is embellished with Baroque and Rococo decoration and contains a 17th century chapel and a private theatre which dates from 1682/3. The palace's art collection is well worth a visit for its works by Cranach, the Gotha altarpiece and the 15th century masterpiece.

„On devient riche non pas en accumulant les profits, mais en dépensant avec parcimonie.» C'est selon cette devise que régna le duc Ernst Ier (dit le Pieux), appartenant à la lignée Saxe-Weimar. Il fit construire le château de Friedenstein entre 1643 et 1654, le plus grand ensemble baroque d'Allemagne datant des débuts de l'époque baroque. Konrad Ekhof y fonda le théâtre qui porte son nom. Les collections d'art du château renferment des oeuvres précieuses dont les «Amants de Gotha», le «Retable de Gotha» et la collection Cranach.

„DIE DREI GLEICHEN" – in der Nähe von Arnstadt ▲ MÜHLBURG ▼ BURG GLEICHEN

Wie Vorposten des Thüringer Waldes heben sich die drei Bergkegel mit ihren Burgen aus der Thüringer Landschaft heraus: Die "Drei Gleichen" - die sich nicht gleichen. Die Wachsenburg, die ein Hotel betreibt, und die Ruinen Mühlburg und Gleichen, die mit der Sagenwelt Thüringens besonders verbunden sind, so z.B. mit dem Grafen Gleichen, der gleichzeitig zwei Frauen haben durfte. Ludwig Bechstein schreibt über dieses faszinierende Burgenensemble: "Hier liegt vom Buche Thüringen eine der herrlichsten Stellen vor uns aufgeschlagen."

The unmistakable sight of these three conical hills, all topped by castles. Like miniature outposts of the Thuringian Forest. The gently undulating lowlands of the Thuringian basin. Although they are known as the Three Equals, they are by no means all alike. The 10th century Wachsenburg was restored in the 19th century , while the far older Mühlburg fell into disrepair in the 18th century. The last, Burg Gleichen is closely connected with local legends like that of the disreputable Count Gleichen, who is said to have kept two wives.

Tels des avants-postes de la forêt de Thuringe, les trois collines surmontées d'un château s'élèvent sur un versant du bassin de Thuringe. Les «Trois Gleichen», nom donné aux châteaux dans la langue populaire, regroupent la Wachsburg aujourd'hui transformée en hôtel et les vestiges de la Mühlburg et du Gleichen. Le château de Gleichen est particulièrement lié aux légendes de la Thuringe dont un des héros est le comte Gleichen qui avait le droit d'avoir deux épouses.

Zu einem Besuch lockt das nordwestlich von Gotha gelegene barocke Lustschloß Friedrichswerth, das die Gothaer Herzöge errichten ließen. Vom Gothaer Land sind manche Impulse auf die deutsche Bildungsgeschichte ausgegangen: In Schnepfenthal bei Waltershausen wirkte der bekannte Pädagoge Salzmann. Und in Siebleben ist das Haus "Zur guten Schmiede" zu besichtigen, in dem der Schriftsteller Gustav Freytag von 1851 bis 1879 gewohnt hat, zu dessen Förderern der Gothaer Herzog Ernst II. gehörte.

Northwest of Gotha stands the Baroque mansion of Friedrichswerth, erected by the Dukes of Gotha as a summer residence and now a tourist attraction. The area surrounding Gotha has been of some influence in German culture and education. In Schnepfenthal, near Waltershausen, lived the enlightened 18th century educational reformer Christian Salzmann and from 1851 to 1879, Siebleben was the home of the distinguished author, historian and liberal reformer Gustav Freytag. His house in Siebleben, 'Zur guten Schmiede', is now open to the public.

Situé au Nord-Ouest de Gotha, le château baroque de Friedrichswerth, érigé par les ducs de Gotha, attire de nombreux visiteurs. L'éducation et la culture allemandes ont reçu quelques impulsions importantes de la région de Gotha: c'est ici que vécut et travailla le célèbre pédagogue Salzmann. A Siebleben, on peut visiter la maison «Zur guten Schmiede» (au bon forgeron) qu'habita l'écrivain et historien Gustav Freytag de 1851 à 1879. Le partisan du libéralisme était un protégé du duc Ernst II de Gotha.

ARNSTADT, Bachkirche

In einer Chronik steht der Satz: "Thüringen besuchen und Arnstadt nicht sehen, gleicht einer verlorenen Reise." Die Stadt ist die älteste Thüringens und hat sich im Kern ihr mittelalterliches Gepräge bewahrt. Stolz nennt sie sich "Bachstadt", da Johann Sebastian Bach hier von 1703 bis 1707 als Organist tätig war. Allein von 1620 bis 1792 wurden siebzehn Mitglieder der Familie Bach hier geboren. Arnstadts größte Sehenswürdigkeit, die der Stadt Weltruhm eingebracht hat, ist die Puppensammlung "Mon plaisir".

ARNSTADT, Bach´s church

In an old chronicle there stands the sentence, 'To visit Thuringia and not see Arnstadt is a waste of a journey.' Arnstadt is the oldest town in Thuringia and in the centre it has preserved its medieval character. Arnstadt is naturally proud of its connections with Johann Sebastian Bach, who was organist here from 1703 to 1707. In fact the connection with the Bach family goes even further back, for seventeen of its members were born here between 1620 and 1792 A highlight of any visit to Arnstadt must be the 'Mon Plaisir' doll collection.

ARNSTADT, église de Bach

Dans une chronique, on peut lire: « Visiter la Thuringe sans voir Arnstadt est un voyage perdu.» La plus ancienne ville de Thuringe a conservé sa physionomie médiévale et vaut vraiment une visite. Elle se nomme avec fierté la «ville de Bach» car l'illustre compositeur y travailla en tant qu'organiste de 1703 à 1707. Dix-sept membres de la famille de Jean-Sébastien Bach naquirent à Arnstadt entre 1620 et 1792. La curiosité principale de la ville est la célèbre collection de poupées «Mon plaisir» qui a acquis une réputation mondiale.

"Bilderbuch der deutschen Geschichte", so hat Arnold Zweig die Stadt Erfurt genannt. Im Mittelalter wurde es als "Erfordia turrita" - das "turmgekrönte Erfurt" - bezeichnet. Zeitweise besaß die Stadt, die auf eine Bistumsgründung von Bonifatius im Jahre 742 n.Chr. zurückgeht, 36 Pfarrkirchen und 15 Klöster. Davon ist bis heute ein nicht geringer Teil erhalten geblieben. Der Mariendom und die Severikirche auf dem Domberg bilden das Wahrzeichen der heutigen Landeshauptstadt von Thüringen.

'A picture-book of German history' is how the author Arnold Zweig described the city of Erfurt. Founded around a small farming community by the great English bishop and missionary St Boniface in 742, the new diocese of Erfurt rapidly rose to power in the Middle Ages. It was a religious centre, a town of churches, 'Erfordia turrita', tower-capped Erfurt, which at one time boasted thirty-six parish churches and fifteen monasteries. Erfurt, is now the capital of the state of Thuringia.

L'écrivain Arnold Zweig a appelé Erfurt: «Le livre d'images de l'histoire allemande». Au moyen-âge, on la nommait «Erfordia turrita» -Erfurt couronnée de tours. La ville fut fondée autour d'un évêché créé en 742 après Jésus-Christ par Boniface, archevêque de Mayence. A une époque, elle posséda 36 églises paroissiales et 15 cloîtres dont plusieurs sont encore conservés de nos jours. La cathédrale et l'église St-Séverin sont les symboles de la capitale actuelle de la Thuringe.

An der Gerafurt soll die Stadt ihren Ursprung haben. Und das könnte an der Krämerbrücke gewesen sein, die zu den ältesten Bauwerken der Stadt zählt. Sie ist eine den Fluß überspannende Häuser- und Ladenstraße, mit Häusern, die mehrere Stockwerke besaßen, mit Wohnungen und Vorratsräumen. Dieses mittelalterliche Brückenwunder ist im Kern erhalten geblieben und führt heute über 30 Hausnummern. Geht man über die Krämerbrücke, vergißt man, daß man einen Fluß überschreitet.

The town of Erfurt is said to have grown up around a 'Furt', or ford, across the river Gera. The original ford may well have been situated on the site of the extraordinary bridge illustrated here, the Krämerbrücke, which is one of the oldest buildings in the city. Shops, tall houses, lodgings and storehouses line the road across the bridge, a medieval building feat that has retained much of its original substance and character. The bridge is even today the address of thirty house numbers and visitors crossing it often find it difficult to believe that this is no normal road.

Erfurt serait née à un gué de la Gera, peut-être à l'endroit où se dresse le pont «Krämerbrücke», (Pont des épiciers) un des plus anciens ouvrages de la ville. Le pont est en fait une véritable rue bordée des deux côtés de maisons à plusieurs étages qui abritent des habitations et des magasins. On oublie qu'on franchit une rivière lorsqu'on se promène sur le «Krämerbrücke». Cette construction médiévale splendide est très bien conservée et est encore l'adresse de 30 maisons.

Bis 1802 unterstand Erfurt dem Erzbistum Mainz. Ihre Bevollmächtigten residierten in der Statthalterei, einem prachtvollen Monumentalbau in der Altstadt, entstanden 1711-1720. Der letzte kurmainzische Statthalter war Karl Theodor von Dalberg, über den sich Goethe lobend äußerte. Hier traf auch der Dichter im Jahr 1808 mit Napoleon zusammen. Das Gebäude ist heute Sitz des Ministerpräsidenten des Freistaates Thüringen. - Auf Seite 30 ist das Rokokoschloß Molsdorf bei Erfurt zu sehen. Hier lebte der reichsgräfliche Lebemann und Kunstmäzen Graf Gustav Adolf Gotter.

Until 1802 Erfurt came under the jurisdiction of the diocese of Mainz, whose representatives lived in the monumental governor's residence, erected between 1711 and 1720. The icentral section and long west wing were designed in Baroque style. The last governor to represent Mainz was Karl Theodor von Dalberg, a liberal archbishop. He was close friend of Goethe's. nd it was here that Goethe met Napoleon in 1808. The building is now the seat of the Minister-President of Thuringia. Schloss Molsdorf (p.30), near Erfurt, once home to the lecherous Count Gotter, patron of the arts.

Erfurt fit partie de l'archevêché de Mayence jusqu'en 1802. Les envoyés épiscopaux résidaient au vicariat, un édifice somptueux dans la vieille-ville, érigé entre 1711 et 1720. Le corps de Bâtiment principal et i'aile occidentale sont en style baroque. Le dernier vicaire épiscopal fut Karl von Dalberg dont Goethe fit les louanges. C'est également dans cet édifice que le poète rencontra Napoléon le 2 octobre 1808. Le vicariat est aujourd'hui le siège du ministre-président de Thuringe. - La page 30 montre le château baroque de Molsdorf, situé près d'Erfurt.

Weimars Weltruf begründeten seine Klassiker, die großen "Vier": Goethe, Schiller, Herder und Wieland. Mit ihnen verbindet man vornehmlich den Begriff WEIMARER KLASSIKER und die Vorstellung Weimars als Zentrum der deutschen Klassik und Hort des Humanismus. Goethe, der Mainfranke, nannte die Stadt ein Paradies, und sein Chronist Johann Peter Eckermann ein "glücklich Weimar". Lange war es ein unbedeutender Ort, ein "Mittelding zwischen Dorf und Hofstadt", obgleich in vorklassischer Zeit hier Lucas Cranach d.Ä. und auch Johann Sebastian Bach gewirkt haben.

If Weimar is famous world-wide, it is mainly due to its connection with the Germany's four greatest classical authors, Goethe, Schiller, Herder and Wieland. For many years Weimar was no more than an overgrown village with a ducal residence, although both J. S. Bach and the great artist Lucas Cranach the Elder had once been active here. It was through the influence of the four literary giants that Weimar eventually became a writer's mecca and a bastion of the humanist movement

La réputation mondiale de Weimar repose sur quatre grands auteurs classiques: Goethe, Schiller, Herder et Wieland. C'est à eux qu'on associe l'expression «CLASSIQUES DE WEIMAR» et l'image de la ville en tant que centre du courant classique et humaniste allemand. Goethe né à Francfort-sur-le Main mourut à Weimar qu'il appelait un paradis. La ville resta longtemps un endroit dépourvu d'importance, une «localité entre bourg et résidence seigneuriale» bien qu'elle eut compté des personnages illustres tels que Lucas Cranach

Johann Gottfried von Herder

Johann Wolfgang von Goethe

Friedrich von Schiller

Christoph Martin von Wieland

Charlotte von Stein

Herzogin Anna Amalia von Sachsen

Herzog Carl August von Sachsen

Johann Peter Eckermann

Lucas Cranach d. Ä.

Franz Liszt

Johann Sebastian Bach

Clemens Wenzel Coudray

Weimars große Zeit begann mit Goethes Eintreffen am 7. November 1775. Der Herzog protegierte ihn. Auf Goethes Empfehlung wurde Clemens Wenzeslaus Coudray zum herzoglichen Oberbaudirektor berufen. Der Dichter nahm regen Anteil an der von der Herzoginwitwe Anna Amalia gepflegten Tafelrunde, von der es hieß: "Man geht mit ihnen um, als wären's Menschen wie unsereiner." Als Franz Liszt als Hofkapellmeister tätig war, sprach man von Weimars "silbernem Zeitalter".

Weimar's heyday began when Goethe arrived here in November 1775. As a protégé of the Duke of Weimar he exerted considerable influence on local affairs and was instrumental in bringing other literary figures to the town. He was also a close friend of Duchess Anna Amalia of Weimar and became the director of her remarkable public library. Weimar's fame did not dim in later centuries, for Liszt, Nietzsche and Rudolf Steiner all lived here and it gave its name to the Weimar Republic.

L'âge d'or de la ville commença lorsque Goethe vint s'y installer le 7 novembre 1775. Goethe était un protégé du duc et c'est sur son instance que le souverain nomma Clemens Wenzeslaus Coudray administrateur général des ponts et chaussées. Dans sa vie privée, Goethe entretint une relation intense avec Charlotte de Stein, épouse de l'intendant des écuries ducales. Par ailleurs, il fréquenta assidûment le salon d'Anna Amalia, veuve du duc. On parla de «l'âge d'or musical» de Weimar lorsque Franz Liszt prit les fonctions de chef d'orchestre à la Cour.

WEIMAR, Nationaltheater

Weimar ist reich an Denkmälern; welt-
berühmte Offenheit drückt sich darin
aus, daß man Monumente für Shakespeare, Puschkin und Polens National-
dichter Adam Mickiewicz, der 1829
Goethe besucht hatte, errichtete. Als
Wahrzeichen der Stadt gilt das
berühmte "Goethe-Schiller-Denkmal",
das der Bildhauer Ernst Rietschel 1857
fertigstellte, gewidmet "vom Vaterland". Es steht vor dem Deutschen
Nationaltheater – an der Stelle, an der
schon früher ein Theaterbau stand.
Dort wurden auf Geheiß Goethes viele
Dramen Schillers uraufgeführt.

WEIMAR, National Theatre

Weimar is rich in memorials and its
open-mindedness to cultural influen-
ces can be seen in its monuments to
Shakespeare, Pushkin and the 19th
century Polish poet Adam Mickiewicz.
The town's best-known landmark is
the famous 'Goethe-Schiller' memorial, erected in 1857. The statue stands
in front of the National Theatre, where
in 1919 Germany's first democratic
constitution was drawn up. The year
not only marked the Weimar.

WEIMAR, Théâtre national

Weimar était une ville imprégnée de
cosmopolitisme culturel ainsi que l'illustrent les statues de Shakespeare,
Pouchkine et Adam Mickiewicz, grand
poète national polonais qui rendit visite
à Goethe en 1829. Le symbole de la ville
riche en monuments est le célè-bre
ensemble de «Goethe-Schiller», réalisé
en 1857 par le sculpteur Ernst Rietschel
et dédié à la «Mère patrie». Le monument se dresse devant le Théâtre
national, à l'emplacement d'un théâtre
détruit depuis et où eurent lieu de
nombreuses premières des pièces de
Schiller sur les instances de Goethe. La
«Constitution de Weimar» fut rédigée
en 1919 au Théâtre national.

WEIMAR, Bibiliothek

Das ehemalige Fürstenhaus, in dem heute die Hochschule für Musik "Franz Liszt" untergebracht ist, spiegelt noch einen Abglanz der alten Residenzstadt wider. An der Ostseite des Platzes steht das ehemalige "Grüne Schloß", das einmal die herzogliche Bibliothek beherbergte, der Goethe lange Zeit vorstand. Heute ist es die Zentralbibliothek der deutschen Klassik mit einem Bestand von weit über 800.000 Bänden. Der Tradition gemäß nennt sich die Bibliothek heute Herzogin-Anna-Amalia-Bibliothek. (Rokokosaal 1761-1766).

WEIMAR, Library

A visit to the former ducal residence, now the Franz Liszt Academy of Music, will give a pale reflection of what life was once like for an aristocrat in Weimar. Nearby is the 16th century 'Green Palace', once the property of the Duke of Weimar. In 1761 the widowed Duchess Anna Amalia of Weimar began to convert the Green Palace into a library, which she made a public library in 1766. Her foundation was to grow into a stupendous and priceless collection that is now one of Germany's greatest scholarly libraries. (Rococo Hall 1761–1766).

WEIMAR, la Bibliothèque

L'ancienne demeure princière qui abrite aujourd'hui le conservatoire «Franz Liszt» reflète l'éclat de la période glorieuse de Weimar. Le «Grüne Schloss» (château vert) se dresse sur le côté est de la place. L'édifice renfermait autrefois la bibliothèque ducale, fief de Goethe. Il est aujourd'hui la bibliothèque centrale du classicisme allemand et renferme plus de 800.000 éditions originales. Selon la tradition, ce temple de la culture fut baptisé plus tard Bibliothèque de la duchesse Anna-Amalia. La photographie montre la salle baroque aménagée entre 1761 et 1766.

Zum obligatorischen Pflichtprogramm des Weimar-Besuchers gehört natürlich Goethes Wohnhaus am Frauenplan. Hatte der Dichter nicht selbst schon 1828 einladend zu einem Besuch ermuntert: "Warum stehen sie davor, ist nicht Türe da und Tor? Kämen sie getrost herein, würden wohl empfangen sein." Und heute sind es Tausende täglich, die das geräumige Haus, das der Herzog dem Dichter schenkte, bewundern. Nicht minder ist der Besucher von dem kleinen Gartenhaus im Park begeistert. Hier verbrachte der junge Goethe die ersten Jahre in Weimar.

No visit to Weimar is complete without a look at Goethe's house in the Frauenplan. He lived here from 1782 and twelve years later received the house as a present from the Duke of Weimar. In 1885 it was made into a museum, although it has since undergone extensive restoration. Today thousands of visitors stream daily through the doors of this roomy house at the heart of Weimar. Not far away, in the park on the river Ilm, stands Goethe's delightful summer house, likewise a present from the Duke.

La maison de Goethe au Frauenplan fait obligatoirement partie d'une visite à Weimar. D'ores et déjà en 1828, le poète invitait les gens à entrer: «Pourquoi restent-ils dehors? Il y a pourtant des portes et un portail. Ils seraient bien reçus s'ils les franchissaient.» Aujourd'hui, des milliers de visiteurs viennent chaque jour admirer la vaste demeure que le duc Charles-Auguste offrit à Goethe. Mais ils s'enthousiasment autant devant le petit pavillon niché au fond du parc qui fut le premier logis du jeune Goethe à son arrivée à Weimar.

▲ Schloß Belvedere bei Weimar ▼ Goethehaus am Frauenplan ▲ Schillerhaus ▼ Goethes Gartenhaus im Park an der Ilm

Zu den schönen Ecken der Stadt zählen die Park-anlagen, jene von Tiefurt, das auch der Sommer-sitz von Anna Amalia war. Nicht zu vergessen auch das Belvedere mit seinem einstigen Lust-schloß. Schloß Ettersburg mit seinem Park sah zu Goethes Zeiten manche Sommerfestspiele. Eine Stadt mit solch reichen Kulturschätzen und Naturschönheiten blickt hoffnungsvoll 1999 ent-gegen, wenn sie zur Kulturhauptstadt Europas gekürt wird.

Weimar's market place is a photographer's delight. It was first laid out in 1300 and at one time was used for tournaments. Today it is a live-ly pedestrian zone, with the Cranach house to the east, the picturesque town hall to the west, a Neptune fountain and attractive old hotels and guest houses. In fact an exploration of almost any street in Weimar will reveal a wealth of archi-tectural treasures, many of them designed in elegant Art Nouveau styles. Weimar is now loo-king forward to 1999, when it will become Euro-pe's chosen city of culture.

Outre la pittoresque place du Marché, Weimar compte de nombreux endroits ravissants dont le parc de Tiefurt qui abrite l'ancienne résidence d'été de la duchesse Anna Amalia et le Belvédère avec son château baroque. De somptueuses fêtes se déroulèrent en été au château d'Etters-burg durant l'époque de Goethe. Weimar, une ville riche en trésors culturels et beautés naturel-les, sera couronnée capitale culturelle d'Europe en 1999.

Zum Schutz ihrer Handelswege ließ die Stadt Erfurt die im 12. Jahrhundert errichtete Wasserburg Kapellendorf ausbauen. So wurden in drei der fünf Ecktürme Kanonen aufgestellt. Die im Städtedreieck Weimar-Apolda-Jena gelegene umfangreiche Anlage mit dem Sockel des alten Bergfrieds und der mächtigen Kemenate im Burgkern gilt als eine der besterhaltenen mittelalterlichen Festungsbauten. 1806 erfüllte sie noch einmal militärische Aufgaben als Hauptquartier der preußischen Truppen im napoleonischen Krieg.

The moated castle of Wasserburg traces its beginnings to the 12th century. Later it was taken over by the town of Erfurt to protect the city's trade routes. For this reason three of the five corner towers were provided with cannons. The extensive grounds of Kapellendorf lie at the centre of a triangle of neighbouring towns, Weimar, Apolda and Jena. The castle's ancient keep and the large apartments are still intact. In 1806 it briefly resumed a military role, for it served as a headquarters of the Prussian troops during the Napoleonic wars.

Erigé au 12e siècle, le château de Kapellendorf fut fortifié ultérieurement pour protéger les routes marchandes passant à Erfurt. Les canons installés dans trois des cinq tours d'angle datent de cette période. Le vaste complexe, est un des châteaux-forts les mieux conservés d'Allemagne. La base de l'ancien donjon et le corps principal abritant les habitations datent de l'époque médiévale. En 1806, Kapellendorf retrouva brièvement une fonction militaire lorsqu'il devint un quartier-général des troupes prussiennes lors des guerres napoléoniennes.

JENA — Rathaus

Das hohe Doppelwalmdach über dem massigen Körper des 1377-1380 entstandenen Jenaer Rathauses ist Ausdruck erwachenden stadtbürgerlichen Selbstbewußtseins, das Zoll, Münze und Gerichtsbarkeit in die Hand nahm. Beinahe spielerisch wirkt dagegen der barocke Turmbau an der Marktseite. Er entstand 1755 und zeigt eine spätgotische Kunstuhr mit einem Figurenspiel, das mit dem Glockenschlag einen Pilger mit goldenem Apfel und die volkstümliche Figur des "Schnapphans" in Bewegung setzt.

JENA — town hall

The high double hipped roof that tops the massive building of Jena town hall dates from 1377-1380. The town hall is an expression of its times, showing the determination of local citizens to take Jena's legal, financial and administrative affairs into their own hands., Compared with the twon hall, the Baroque tower in the market place has a far less serious aspect. It was built in 1755 and is embellished with a Late Gothic clock with moving figures.

JENA — l'hôtel de ville

Un double toit en croupe couronne le corps massif de l'hôtel de ville de Iéna, érigé entre 1377 et 1380. L'édifice majestueux témoigne de la fierté civique des habitants qui prirent la douane, le frappage des monnaies et la juridiction de leur ville entre leurs mains. A côté de l'hôtel de ville, la tour baroque sur la place du Marché a une apparence presque ludique. Elle fut érigée en 1755 et est ornée d'une horloge de style gothique tardif avec des figures mobiles. Lorsque les heures sonnent, un pèlerin portant une pomme en or et un personnage du folklore local appelé «Schnapphans» se mettent en mouvement.

JENA, Saalstraße

Wie eine Mittellinie zieht sich die Saal-straße durch den Jenaer Stadtkern. In diesem überschaubaren Viertel hat alles Platz, was die mittelalterliche und spätere Stadt brauchte: Stadtkirche, Rathaus, Markt, Universität und Bür-gerhäuser wie das Haus Trebitz an der Ecke Oberlauengasse.

Saalstrasse runs straight through the centre of Jena. It is an attractive district, not too large, and there is everything here that a medieval town needed - a church, a town hall, a market place, a university and fine merchants' houses like the attractive Haus Trebitz in Oberlauengasse.

La rue «Saalstrasse» traverse le coeur de Iéna comme une ligne médiane. Ce quartier une église paroissiale, un hôtel de ville, une place du Marché, une université et de belles demeures patri-ciennes telles que la maison Trebitz.

JENA, Goethe-Gedenkstätte

Seinen "Blumen- und Pflanzenberg" nannte Goethe den von ihm unter-stützten und 1794 angelegten Botani-schen Garten. Das Inspektorenhaus wurde 1825-27 nach Goethes Plänen vom Baumeister Wenzel Coudray umgebaut. 1921 wurde dort die erste Jenaer Goethestätte eröffnet.

JENA, Goethe memorial

The botanical gardens in Jena were once described by Goethe as his 'hill of flowers and plants.' The great ger-man author lived in Jena for a time and gave his support to the botanical gardens, which were laid out in 1794.

JENA, mémorial de Goethe

Goethe surnommait les jardins botani-ques sa «colline de plantes et de fleurs». Le célèbre écrivain allemand qui était également passionné de botanique, collabora à l'aménage-ment des jardins en 1794. La «Inspek-torenhaus» abrite aujourd'hui le pre-mier musée qu'Iéna consacra à Goethe et qui fut inauguré en 1921.

40

„Thüringer Loreley" wird die Felswand bei Dornburg genannt, von der aus drei Schlösser über das Saaletal blicken. Das nördlichste entstand 1521 auf den Mauern einer Burg aus dem 10. Jahrhundert. Auch das südliche Schloß wurde wenige Jahre später als reiner Renaissancebau (im Bild) errichtet. Eine architektonische Perle ist das mittlere, 1736 entstandene Rokokoschloß. Für Goethe war das südliche Schloß ein bevorzugter Ort. Ihm widmete er den Vers am Portal: „Freudig trete herein und froh entferne dich wieder."

Because of its precipitous slopes, the castle hill near Dornburg is sometimes called the Lorelei of Thuringia. Three palaces stand on its heights, all overlooking the valley of the river Saale. The northernmost was built in 1521 on the site of an earlier castle dating from the 10th century and displays a wide mixture of architectural styles. The palace to the south, which can be seen in the photo, was erected some years later in pure Renaissance style. The third palace of the group is an architectural treasure, a Rococo palace dating from 1736.

Le ravin couronné de trois châteaux qui se dresse au-dessus de la Saale près de Dornburg est parfois appelé la «Lorelei de Thuringe», une évocation du célèbre paysage de la Lorelei sur le Rhin. Le château situé au Nord fut construit en 1521 sur les fondations d'un fort du 10e siècle. Le château au Sud fut érigé quelques années plus tard dans le style Renaissance (photo). Le château du milieu date de 1736 et est une véritable merveille architecturale de la période baroque. Goethe appréciait surtout le château situé au Sud où il séjourna plusieurs fois.

EISENBERG, Rathaus

Die architektonische Geschlossenheit des Eisenberger Stadtkerns ist noch immer auffällig. Neben dem barocken Residenzschloß Herzog Christians und der spätgotischen Stadtkirche sind die den Marktplatz umschließenden Bürgerhäuser bemerkenswert.

The architectural unity of the centre of Eisenberg is still a surprising and unexpected sight for visitors. The market place is very attractive, with its surrounding merchants' houses, and the Late Gothic town church and the Baroque palace of Duke Christian are also of interest.

Le centre-ville d'Eisenberg est un admirable exemple d'unité architecturale. La place du Marché, entourée de splendides maisons patriciennes, le château baroque du duc Christian et l'église de style gothique tardif sont les principales curiosités de la ville.

GERA, Rathaus und Markt

Bürgerhäuser des 18. Jahrhunderts mit ihren typischen Dächern, Durchgängen und Höfen prägen den Geraer Marktplatz, der vom Rathaus dominiert wird. Es wurde 1450 neu aufgebaut und erhielt 1573-76 seine heutige Gestalt. Die Stadtapotheke entstand ebenfalls im 16. Jahrhundert als Eckbau mit prächtigem Runderker.

Gera first became an important town when Dutch Protestants started a flourishing textile industry here. The town hall of the present building dates from 1450, but the town hall gained its present aspect between 1573 and 1576, when it was partly rebuilt. The distinctive town pharmacy also dates from the 16th century.

La place du Marché de Gera témoigne de l'ancienne prospérité de la ville avec ses riches demeures de marchands, construites au 18e siècle et l'hôtel de ville érigé en 1450, mais qui reçut son aspect actuel entre 1573 et 1576. La pharmacie municipale dotée d'un superbe encorbellement, date également du 16e siècle.

ALTENBURG, Schloß

Auf eine 1000jährige Geschichte kann diese Stadt zurückblicken, einst eine Kaiserpfalz gewesen, in der Friedrich Barbarossa Hof hielt. Bis 1918 war die Stadt die Residenz von Sachsen-Altenburg; von dieser fürstlichen Macht vermittelt das mächtige Schloß, eines der größten in Thüringen, noch einen nachhaltigen Eindruck. Als ein Wahrzeichen der heute weithin durch die Spielkartenherstellung bekannten Ostthüringer Metropole gelten die roten Backsteintürme aus dem 12. Jahrhundert. Kunstinteressierte zieht es in das Lindenau-Museum.

ALTENBURG, palace

The town of Altenburg, once an imperial residence in which Emperor Friedrich Barbarossa held court, can look back on one thousand years of history. Until 1918, the town was the residence of the playing-card production of Saxony-Altenburg, and even today the imposing castle, one of the largest in Thuringia, conveys a lasting impression of the might of its once powerful lords. One of the landmarks of this metropolis of eastern Thuringia is a group of brick towers known as the Red Spires, which date from the twelfth century.

ALTENBURG, le château

Vieille de mille ans, Altenburg fut autrefois un fort impérial où l'empereur Frédéric Barberousse avait sa cour. Elle fut également la ville de résidence des princes de Saxe-Altenburg jusqu'en 1918 ainsi qu'en témoigne l'imposant château qui est un des plus grands de la Thuringe. Les «Roten Spitzen», un ensemble de tours en briques rouges (12e s.), sont un des symboles de la capitale de la Thuringe orientale. Le musée Lindenau abrite d'intéressants objets d'art dont un admirable panneau peint de style Renaissance italienne.

44

Unweit von Altenburg liegt das Schloss Windischleuba, eine ehemalige Wasserburg aus dem 14. Jahrhundert mit zinnengeschmücktem Rundturm und Rennaissance-Flügeln. Im Inneren bleiben reizvolle Rokoko-Räume und auch spätere Ausstattungen erhalten. Namhafte Adels-familien, wie z.B. die Familien von der Gabelentz, von Lindenau waren Besitzer des Schloßes. Bis nach dem zweiten Weltkrieg bewohnte ein Zweig der berühmten Familie von Münchhausen das Schloß, so auch der Baladendichter Börries.

Not far from Altenburg stands Schloss Windischleuba, a former moated castle dating from the fourteenth century, with a crenellated round tower and Renaissance wings. In the interior some delightful Rococo rooms and later furnishings have been preserved. The castle was once owned by such prominent titled families as those of Gabelentz and von Lindenau. The branch of the Münchhausen family from which the famous baron came lived in the castle of Windischleuba until after the Second World War; one member being the balld poet Bvrries Müchhausen.

Près d'Altenburg se dresse Windischleuba, un ancien château du 14e s. avec des douves, un donjon à créneaux et des ailes Renaissance. L'intérieur abrite de magnifiques salles aménagées en style baroque et autres styles ultérieurs. Le château fut la résidence de grandes familles nobles dont les Gabelentz et les Lindenau. Une branche de la lignée Münchhausen y vécut jusqu'à la fin de la seconde guerre mondiale. Le plus célèbre membre de cette famille est le baron fanfaron de Münchhausen, dont les ballades sont restées dans la littérature allemande.

WEIDA, Osterburg

Die an der „Reußischen Fürstenstraße"
gelegene Stadt, die auf eine 800jährige
wechselvolle Geschichte zurückblicken
kann, ist die älteste in der Ostthüringer
Region und von großer historischer
Bedeutung: geht doch der Name
„Vogtland" auf die Vögte von Weida
zurück. Das Wahrzeichen der Stadt ist
die Osterburg mit ihrem über 50 m
hohen charakteristischen Turm und
mit nahezu 6 m starken Mauern - und
damit einer der höchsten und auch
ältesten in Deutschland. Von hieraus
hat man eine herrliche Aussicht auf die
Landschaft Ostthüringens.

WEIDA, Osterburg

The town, which stands on the "Lords
of Reuss Route", can look back on 800
years of turbulent history. It is the
oldest town in the east Thuringia
region and of great historical importance. The name Vogtland derives
from the Vogt (or governor) of Weida.
The towns most distinctive landmark
is the stronghold of Osterburg. With
its characteristic tower, over 50 metres
high, and its almost six metre-thick
walls, it one of the highest and also
oldest castles in Germany. It is worth a
visit for the wonderful view it provi-
des over the attractive countryside of
east Thuringia.

WEIDA, Osterburg

Située sur la «Route des princes de
Reuss», la plus ancienne ville de la
région orientale de la Thuringe a 800
ans d'histoire mouvementée à racon-
ter. Son symbole est le château d'Osterburg, ancien siège des puissants
prévôts de Weida. Dominé par un
donjon de 50 m de haut et entouré de
murs de 6 m d'épaisseur, l'édifice est
un des plus anciens châteaux d'Allemagne. On découvre un panorama
magnifique sur la campagne de Thuringe depuis le haut de la tour. Le
musée installé dans le château retrace
l'histoire de la ville.

GREIZ, Oberes Schloß

Wie ein Schiff wiegt sich das Obere Schloß auf dem Burgberg, einst der Herrschaftssitz der Vögte und späteren Reußen. Greiz, im Talkessel der Weißen Elster gelegen, liegt an der Grenze von Thüringen zu Sachsen und wird als "Perle des Vogtlandes" bezeichnet. Daran mag auch der schöne Park einen gewichtigen Anteil haben, der zu den attraktivsten Deutschlands gezählt wird. Dort befindet sich das Sommerpalais mit einer berühmten Kupferstichsammlung, die wertvollste ihrer Art nach der des Britischen Museums in London.

GREIZ, Upper castle

There are two palaces in Greiz, the Upper and the Lower Palace. The Upper Palace, on a hill overlooking the town, was once the seat of the lords of Greiz. Greiz is a pretty town which lies on the border of the state of Thuringia, in the valley of the Weissen Elster (white magpie) and much of its charm can be attributed to the former summer residence, the Lower Castle, whose surrounding park is one of the most attractive in Germany. The Lower Castle is also worth a visit for its famous collection of engravings, second only to that of the British Museum in London.

GREIZ, le Château supérieur

Le Château supérieur qui couronne une colline dominant la ville fut autrefois le siège des prévôts puis des princes de Reussen. La ville se niche dans la vallée de la «Weissen Elster» (vallée de la Pie blanche) qui s'étend à la frontière de la Thuringe et de la Saxe. On la surnomme la «Perle du Vogtland» en raison de son charme mais surtout de son parc magnifique, un des plus beaux d'Allemagne. Il entoure le Château inférieur, ancienne résidence d'été princière qui abrite une célèbre collection de gravures sur cuivre, la plus précieuse en son genre après celle du British Museum à Londres.

ZEULENRODA, Rathaus

Die Bewohner von Zeulenroda haben eine antike Göttin zum Schutzengel bestellt: Themis, Gattin des Zeus und Inhaberin des Orakels von Delphi. Sie wacht in Zeulenroda auf dem Dach des Ratsgebäudes über Recht, Ordnung und Sitte. Das Rathaus wurde 1825-27 als Signal für Wohlstand und als Zeichen der Selbstdarstellung der kleinen Textilmetropole neugebaut. Das dreigeschossige Gebäude stammt von Christian Heinrich Schopper, der 1819-20 auch die Stadtkirche gebaut hat. Er prägte nachhaltig die klassizistische Bauweise der Stadt.

ZEULENRODA, town hall

The inhabitants of Zeulenroda have a Greek goddess as their guardian angel. She is the Themis of antiquity, consort of Zeus and the mistress of the Delphic oracle, and from the roof of the town hall she watches over the community, an embodiment of justice, tradition and virtue. The town hall dates from 1825-27, and its design was an expression and outward sign of the prosperity of the little town, at that time a lively centre of the textile industry. The three-storied building was the work of Christian Heinrich Schopper, a local and influential neo-classical architect who also built the town church in 1819-20.

ZEULENRODA, hôtel de ville

L'ange gardien des habitants de Zeulenroda est une déesse grecque: Thémis, épouse de Zeus et gardienne de l'oracle de Delphes. Depuis le toit de l'hôtel de ville, elle veille sur la communauté, symbole de justice, d'ordre et de vertu. L'hôtel de ville fut reconstruit en 1825-27 pour témoigner de l'autonomie et de la prospérité de la petite ville qui était alors un centre important d'industrie textile. L'édifice à trois étages est une oeuvre de Christian Heinrich Schopper qui bâtit également l'église paroissiale en 1819-20. C'est à lui que la ville doit sa physionomie néoclassique.

SCHLEIZ, Rathaus und Bergkirche

Das kleine Städtchen Schleiz, das heute zu den Schönheiten Ostthüringens zählt und durch die „Reußische Fürstenstraße" erreicht werden kann, ist in unserer Zeit vor allem durch die „Schleizer-Dreieck-Motorrennstrecke" in Deutschland bekannt geworden. Auch sonst lohnt ein Besuch: Am Alten Gymnasium erinnert eine Gedenktafel daran, daß in ihm jener Dr. Konrad Duden einmal Direktor war, der das nach ihm benannte Kompendium geschaffen hat. Und ein Kleinod der Baukunst ist die berühmte Bergkirche, eine der schönsten Mitteldeutschlands.

SCHLEIZ, town hall and Bergkirche

The little town of Schleiz, which today is regarded as one of the most beautiful in eastern Thuringia, can be reached via the Reussischen Fürstenstrasse (Lords of Reuss Route). In our time it has become famous for the motorraces held here. But it is worth visiting for other reasons: at the old Grammar School there is a plaque in memory of one of its former headmasters, Dr. Konrad Duden, the distinguished German lexicographer. And the famous hilltop church, a jewel of ecclesiastical architecture, is one of the most beautiful in the whole region.

SCHLEIZ, hôtel de ville; Bergkirche

Située sur la «route des princes de Reuss», la petite ville de Schleiz est aujourd'hui une des plus agréables localités de la Thuringe orientale et lieu de départ de belles randonnées. Elle abrite plusieurs édifices intéressants dont le «Alten Gymnasium» (ancien lycée) dans lequel une plaque commémorative dédiée à Konrad Duden rappelle que l'auteur de la célèbre encyclopédie fut autrefois directeur de l'établissement. La «Bergkirche», véritable joyau architectural, est une des plus belles églises du centre de l'Allemagne.

Thüringen liegt am Meer. Die Bleiloch- und die Hohenwarte-Talsperren sind aber nicht nur reizvolle Elemente einer schönen Landschaft, sondern auch Wasserreservoire des Landes. Die Bleiloch-Talsperre an der oberen Saale wurde 1932 fertiggestellt und ist mit einem Stauraum von 215 Mio. Kubikmetern (Stauhöhe 58m) noch immer die größte Deutschlands. Die Hohenwarte-Talsperre entstand 1936-1942 mit einem Fassungsvermögen von 185 Mio. Kubikmetern und hat eine Wasserfläche von 7,3 Quadratkilometern.

The Bleiloch reservoir and Hohenwarte reservoir pictured here are not only the main sources of drinking water in Thuringia, but also make their own picturesque contributions to the attractive landscape of the state. Bleiloch, on the upper reaches of the river Saale, was completed in 1932. The dam is 58 metres high, and with a capacity of 215 million cubic metres the reservoir is still the largest in Germany. The Hohenwarte reservoir was built between 1936 and 1942. It has a capacity of 185 million cubic metres and a surface area of 7.3 sq. kilometres.

La Thuringe possède deux barrages importants qui ne constituent pas seulement des éléments attractifs du paysage, mais sont aussi les réservoirs d'eau de la région. Le barrage de Bleiloch fut édifié en 1932 sur le cours supérieur de la Saale. Il est le plus grand barrage d'Allemagne avec 215 millions de mètres cubes d'eaux de retenue, la hauteur du plan d'eau étant de 58 m. Le Barrage de Hohenwarte fut construit entre 1936 et 1942. Il retient 185 millions de mètres cubes d'eau tandis que la superficie de son lac est de 7,3 km.

Von welcher Seite man sich diesem kleinen Städtchen auch nähert, von weitem grüßt der „Alte Turm", der erhalten gebliebene Rest einer alten Burg aus dem 13. Jahrhundert. Im Park Befindet sich ein barocker Pavillon, der zur erhalten gebliebenen Schloßanlage aus dem 18. Jahrhundert gehört. Der Ort entwickelte sich zum bedeutendsten Moorbad Thüringens, als man in der Nähe eisenhaltige Quellen und ein heilkräftiges Urmoor entdeckte. – In der Nähe liegt das berühmte Schloß Burgk mit einer wertvollen Silbermann-Orgel.

No matter from which direction you approach this little town, you are greeted from afar by the sight of the Alte Turm, or old tower, the only remains of a thirteenth-century castle that stood here long ago. In the park there stands a Baroque pavilion which was once part of the eighteenth-century palace grounds. After ferrous springs and a natural mud with therapeutic properties were discovered in Lobenstein, it developed into the most important health resort of its kind in Thuringia. – Not far away stands the well-known palace of Burgk with its splendid Silbermann organ.

Une haute tour, vestige d'un ancien château du 13e s., salue de loin le visiteur qui s'approche de Lobenstein, quelle que soit la direction par laquelle il arrive. Le parc de la charmante ville abrite un pavillon baroque du 18e s., élément conservé des aménagements du château. Lobenstein est devenue une station thermale réputée pour ses bains de boue lorsqu'on découvrit une source ferrugineuse et une boue aux vertus médicinales dans les environs. – A proximité, le célèbre château Burgk renferme un orgue précieux de Silbermann.

Jede Fahrt durch das Thüringer Land ist auch eine Burgenfahrt. Ob wir auf der alten Reichsstraße von West nach Ost ziehen oder die Flußtäler nordwärts wandern, immer begleiten Burgen und Burgruinen unseren Weg. "An der Saale hellem Strande stehen Burgen stolz und kühn." Beim Anblick der Rudelsburg bei Bad Kösen geriet Franz Kugler ins Schwärmen. Auch die Burgen im mittleren Saaletal, die zu den ältesten Thüringens gehören, sind besungen worden, so Burg Ranis und die "Königin des Saaletales", die Leuchtenburg bei Kahla.

Everywhere you go in Thuringia you will find castles. Whether you choose to take the old main road from west to east or instead prefer to explore the river valleys running northward through the land, you will find castles, some intact, some in ruins. Poets and writers have been charmed by their ancient walls, 'proud and bold' as the painter and art historian Franz Kugler called them, and have often sung their praises. Some of Thuringia's oldest castles can be found along the central reaches of the river Saale. They include Leuchtenburg and Burg Ranis, pictured here.

Le Land de Thuringe est le pays des châteaux. Que l'on prenne l'ancienne route impériale de l'Ouest vers l'Est ou que l'on remonte les vallées fluviales vers le Nord, des châteaux conservés ou en ruines accompagnent partout notre chemin. «Les châteaux se dressent hardis et fiers le long des rivages clairs de la Saale» s'enthousiasma Franz Kugler devant le château de Rudelsburg près de Bad Kösen. Les châteaux du cours moyen de la Saale ont également été chantés: Burg Ranis et La Leuchtenburg près de Kahle nommée la «Reine de la vallée de la Saale».

Das liebenswürdige Rudolstadt liegt inmitten der reizvollen Garten- und Waldlandschaft an Saale und Schwarza und empfiehlt sich als Ausgangspunkt für Wanderungen zum Thüringer Wald, nach Weimar und Jena oder Arnstadt und Ilmenau. Wilhelm von Humboldt zählte die Rudolstädter Gegend zu den "schönsten und schöneren Deutschlands". Schiller lernte hier seine Frau, Charlotte von Lengefeld, kennen und traf hier zum erstenmal mit Goethe zusammen. Das Stadtbild wird von der Heidecksburg, einem der größten Schlösser Thüringens, beherrscht.

The delightful town of Rudolstadt stands in the midst of a picturesque garden and woodland landscape on the rivers Saale and Schwarza and is an ideal spot from which start a walking tour, whether to the Thuringian forest, to Weimar and Jena or to Ilmenau. Wilhelm von Humboldt regarded the area around Rudolstadt as one of the most beautiful in all Germany and it was here that Schiller made the acquaintance of his future wife, Charlotte von Lengefeld, and met Goethe for the first time. The town is dominated by the impressive Late Baroque Heidecksburg, built in the late 18th century.

Rudolstadt s'étend au coeur des magnifiques paysages de forêts et de vergers des rivières Saale et Schwarza. La jolie petite ville est le point de départ d'excursions vers le «Thüringer Wald», Weimar, Iéna, Ilmenau et Arnstadt. Les environs de Rudolstadt ont enchanté de nombreux personnages illustres. C'est ici que Schiller fit la connaissance de sa future épouse, Charlotte von Lengefeld, et rencontra Goethe pour la première fois. La Heidecksburg, un des plus grands châteaux de Thuringe, domine la physionomie de la ville.

"Steinerne Chronik Thüringens" hat man Saalfeld genannt, auch das "Eingangstor Thüringens". Sehenswert ist der Markt, Saalfelds "gute Stube" mit seinem Rathaus, den stattlichen Patrizierhäusern und dem mittelalterlichen Laubengang. Die spätromanische Marktapotheke zählt zu den architektonisch wertvollsten Bauten der Stadt. Die Burgruine des "Hohen Schwarms" zählte zur Stadtbefestigung; imponierend der altersgraue Steinblock mit den zwei schlanken Türmen. Eine Sehenswürdigkeit ersten Ranges sind die "Feengrotten"/ Tropfsteinhöhlen.

Saalfeld's importance can be judged by the fact that it has been called 'Thuringia's history written in stone' and also 'the gateway to Thuringia'. Visitors will want to see the market place with its Gothic town hall, stately patricians' houses and the medieval arbour. The market pharmacy is, one of the most interest buildings in the town. The castle ruin of Hoher Schwarm, an ancient grey block of stone with two slender towers, was once a part of the town's defences. One of the sights that on no account should be missed is the Feengrotten, limestone caves with stalagmites and stalactites.

Saalfeld fut appelée la «Chronique écrite dans la pierre de la Thuringe» et la «Porte de la Thuringe». Le coeur de la ville est formé de la place du Marché avec son hôtel de ville, ses maisons patriciennes et ses arcades médiévales. L'édifice abritant la pharmacie du marché, de style roman tardif, est un des plus beaux ouvrages architecturaux de la ville. Le «Hohen Schwarm», une paroi imposante surmontée de deux tours élancées est un vestige du château-fort qui s'intégrait dans l'enceinte fortifiée de la ville. A proximité de la ville se trouvent les «Feengrotten», grottes de stalactites

Die Ruine des ehemaligen Benediktinerklosters ist von der UNESCO zum Weltkulturerbe erklärt worden. Der 1105 errichtete dreischiffige romanische Bau geht in seinem Schema auf die Hirsauer Bauschule zurück und ist in seinen wertvollen Teilen erhalten geblieben. Das mächtige Säulenportal gehört in seiner Art zu den wertvollsten der sakralen Architektur. Goethe erlebte in diesem Ruinenglanz des Mittelalters 1817 seinen Geburtstag. Heute wird die Klosterruine auch zu musikalischen Veranstaltungen genutzt.

The ruins of this former Benedictine monastery of Paulinzella near Saalfeld have been declared by Unesco to be a monument of world-wide cultural significance. The triple-naved Romanesque building, dating from 1105, was modelled on the Benedictine monastery of Hirsau, in south Germany, and the main sections have been well preserved. The imposing pillared entrance is one of the most notable ecclesiastical doorways of its kind. It was within the walls of this resplendent medieval ruin that Goethe spent his birthday in 1817.

Les ruines de l'ancien cloître bénédictin de Paulinzella ont été classées patrimoine culturel mondial par l'UNESCO. L'ensemble de style roman, érigé en 1105, comprend une basilique à trois nefs. Parmi les magnifiques éléments conservés, le portail et la majestueuse galerie à colonnades s'inscrivent dans les joyaux de l'architecture sacrale. En 1817, Goethe choisit ce haut-lieu de l'éclat médiéval pour fêter son 68e anniversaire. Aujourd'hui, le cloître est le théâtre de manifestations musicales.

Auf seinem gut 50 km langen Lauf hat sich der Bergfluß Schwarza tief in das Schiefergebirge eingegraben und hier das schönste Tal Thüringens geschaffen - mit schroff aufsteigenden Fichtenhängen und vielen romantischen Ausblicken. Von der Quelle in der Nähe von Scheibe-Alsbach bis zur Mündung in die Saale reihen sich Urlaubs- und Erholungsorte aneinander: Katzhütte, Mellenbach, Oberweißbach, Schwarzburg mit der Schloßruine und dem Kaisersaal und die Kurstadt Bad Blankenburg. Vom sogenannten "Trippstein" hat man einen herrlichen Blick.

The river Schwarza is over 50 kilometres long and in its downhill course it has carved deep gorges into the slate hills of the Schiefergebirge. Here can be found the most beautiful valley in all Thuringia, where spruces crowd the steep, rocky slopes and one romantic viewpoint follows another. From its source in the area of Scheibe-Alsbach, the Schwarza runs through a whole string of holiday and health resorts - Katzhütte, Mellenbach, Oberweissbach, Schwarzburg, with its castle ruin, and Bad Blankenburg. The photo shows the view from the 'Trippstein'.

La Schwarza, longue de cinquante kilomètres, a creusé une des plus jolies vallées de la Thuringe dans le Schiefergebirge (montagne d'ardoise). La rivière coule entre des versants abrupts recouverts de pins sombres d'où l'on découvre de magnifiques points de vue. Les lieux de villégiature s'échelonnent depuis l'endroit où elle prend sa source à Scheibe-Alsbach jusqu'à son embouchure dans la Saale. Les plus connus sont Katzhütte, Mellenbach, Oberweissbach, Bad Blankenburg et Schwarzburg dont on a une vue magnifique depuis la hauteur dite Trippstein.

SONNEBERG, Rathaus, Deutsches Spielzeugmuseum

Am Südhang des Thüringer Waldes liegt Sonneberg, das bekannt wurde durch seine Spielzeugherstellung und wo im Zeitalter der Massenproduktion die Puppen immer noch in gediegener kunsthandwerklicher Art manuell gefertigt werden. Bis zum Ausbruch des Ersten Weltkrieges waren die Sonneberger Spielzeugfabrikanten stark am Welthandel beteiligt. 1910 bekam die Schaugruppe "Thüringer Kirmes" auf der Brüsseler Weltausstellung eine hohe Auszeichnung. Im Spielzeugmuseum sind über 70.000 Exponate aus aller Welt gesammelt.

SONNEBERG, Townhall German Toys Museum

On the southern slopes of the Thuringian forest stands Sonneberg, famous because of its toy-making industry. Until the outbreak of the First World War, the Sonneberg toy manufacturers delivered their products all over the world. In 1910 Sonneberg toys were exhibited at the World Exhibition in Brussels in an assembly entitled 'Thuringian Fair',. Even in our days of mass production, dolls are still produced here individually as high-quality craft products. The German Toy Museum in Sonneberg contains over 70,000 examples of toys from all over the world.

SONNEBERG, hôtel de ville, alleman jouet musée

Sonneberg qui s'étend sur le versant sud du «Thüringer Wald» (Forêt de Thuringe) est réputée pour son industrie du jouet, notamment pour ses poupées encore fabriquées par des artisans d'art. Les fabricants de jouets de Sonnenberg participèrent au commerce international jusqu'à la déclaration de la première guerre mondiale. Leurs oeuvres montrées sous le nom «Thüringer Kirmes» à l'exposition universelle de Bruxelles en 1910, obtinrent une haute récompense. Le musée du Jouet de la ville possède une collection de 70.000 pièces .

Das kleine Städtchen war einmal Residenz von Sachsen-Hildburghausen und ein Rest dieser fürstlichen Herrlichkeit ist ein schöner Park. Bis heute hat die Stadt ihr Geheimnis mit der sogenannten "Dunkelgräfin", die hier starb und eine Tochter von Ludwig XVI. gewesen sein soll. In der Welt aber wurde Hildburghausen freilich durch ein ganz anderes Ereignis bekannt: 1828 gründete der in Gotha geborene Joseph Meyer hier das Bibliographische Institut. In den Jahren von 1840 bis 1850 erschien erstmals "das große Conversationslexikon für die gebildeten Stände".

The little town of Hildburghausen was once the residence of the Saxe-Hildburghausen dynasty, and one relic of the town's aristocratic past is a pleasant park. Even today the town has it secret with the mysterious 'Dark Countess' who died here and was said to be a daughter of Louis XVI. Hildburghausen has its own claims to fame, for in 1828 Josef Meyer founded his Bibliographical Institute here, a publishing house whose name is still well-known in Germany. In the years 1840-50 Meyer published a book of entitled 'A Dictionary of Conversation for the Educated Classes'.

La petite ville qui fut résidence de la lignée Saxe-Hildburghausen a conservé un reste de son éclat passé dans son parc magnifique, son hôtel de ville remanié au 16e siècle et deux églises imposantes dont la Christuskirche. Une des légendes de la ville raconte l'histoire de la «comtesse secrète» morte à Hildburghausen et qui aurait été une fille naturelle de Louis XVI. Joseph Meyer fonda ici l'Institut bibliographique en 1828. La première édition du célèbre dictionnaire allemand parut entre 1840 et 1850.

MEININGEN, Ev. Stadtkirche

„Hoch auf dem gelben Wagen" möchte man zum Einzug nach Meiningen anstimmen – geschrieben hat dieses längst zum Volksgut gehörenden Liedes der Dichter Rudolf Baumbach, geboren in Kraichfeld bei Weimar und 1905 in Meinignen verstorben. Berühmt geworden ist die Stadt vor allem durch die Schauspielreform von Herzog Georg II (1826-1914). Die „Meinigen" traten in ganz Europa auf. Zeugen dieser großen Epoche, beispielhaft für eine humanistische Kunstpflege in Deutschland, sind in Schloß Elisabethenburg zu bewundern.

MEININGEN, Protestant Chruch

Hoch auf dem gelben Wagen is a catchy traditional German song composed by the poet Rudolf Baumbach, who was born in Kranichfeld near Weimar and died in Meiningen in 1905. High on a yellow waggon would indeed be a suitable way to enter Meiningen, a town long renowned for its theatrical traditions. As a result of the theatre reforms of Duke George II (1826-1914) the towns famous players performed throughout Europe. Relics of this great epoch, which was exemplary in its humanist encouragement of the arts in Germany, can be seen in the palace of Elisabethenburg.

MEININGEN, église protestante

Meiningen est connue dans l'Allemagne entière grâce à une chanson populaire écrite par le poète Rudolf Baumbach, né à Kranichfeld près de Weimar et décédé à Meiningen en 1905. La ville est également célèbre pour la réforme du théâtre du duc Georg II (1826-1914). Les «Meiningen» firent des tournées dans toute l'Europe. On peut admirer des témoignages de cette époque exemplaire de l'art humaniste en Allemagne au château Elisabethenburg qui fut également résidence de la famille ducale jusqu'en 1918.

Diese größte Stadt Südthüringens verdankt seine Entwicklung der Waffenfertigung - bereits 1575 sind schon 19.458 Gewehrrohre hergestellt worden. In den beiden letzten Weltkriegen war hier ein Rüstungszentrum aufgebaut worden. Es wurden alle Arten von Jagdwaffen, Kleinkalibergewehren und auch Kleinkrafträder hergestellt und in die ganze Welt exportiert. Darüber vermittelt eine ständige Ausstellung im Malzhaus, einem Fachwerkgebäude aus der Mitte des 17. Jahrhunderts, interessante Details. Das Wahrzeichen der Stadt ist der "Waffenschmied".

Suhl, the largest town in south Thuringia, owes its expansion to the development of the armaments industry. This dates back centuries - in the year 1575, it is recorded that 19,458 gun barrels were manufactured here. In the last two world wars, Suhl became a manufacturing centre for hunting rifles and small calibre weapons and also small motorcycles, products which were exported throughout the world. A permanent exhibition housed in the Malzhaus, a mid-17th century building, acquaints visitors with the history and development of the industry in Suhl.

Cette ville assez importante du Sud de la Thuringe doit son développement à la fabrication d'armes - 19.458 fusils y étaient déjà produits en 1575. Un centre de l'armement y fut installé durant les deux dernières guerres mondiales. Toutes sortes d'armes étaient fabriquées - depuis les fusils de chasse aux pistolets de petits calibres- et exportés dans le monde entier. La «Malzhaus», un édifice à colombage du milieu du 17e siècle, abrite une exposition permanente sur l'armurerie. Le symbole de la ville est bien sûr «l'armurier».

"Anmutig Tal! Du immergrüner Hain! Mein Herz begrüßt dich wieder auf das beste!" So beginnt das bekannte Gedicht "Ilmenau", das Goethe für seinen Herzog Carl August schrieb. Es ist eine Liebeserklärung an die Stadt. In seiner Eigenschaft als Minister des Herzogtums hat Goethe sich vor allem um eine Wiederbelebung des daniederliegenden Bergbaus bemüht. Über sein vielfältiges Wirken informiert im früheren Amtshaus ein ihm zum Gedenken errichtetes kleines Museum. Der junge Goethe sitzt dort als Bronzefigur auf einer Bank.

Goethe was very fond of Ilmenau and even wrote a poem entitled 'Ilmenau', celebrating the beauty of the town's rural situation, which he dedicated to his patron Duke Carl August. In his capacity of Minister to the Duchy, Goethe took it upon himself to revive Ilmenau's failing mining industry. In the former Amtshaus visitors can learn about this, and about some of Goethe's other wide-ranging activities, in the small museum dedicated to his memory. Here there is an unusual bronze statue of the poet, shown seated on a bench.

Goethe composa un poème célèbre intitulé «Ilmenau» qu'il dédicaça à son protecteur, le duc Charles-Auguste. Ce poème est une déclaration d'amour à la ville qui joua un rôle important dans sa vie. En qualité de ministre du duché, Goethe se préoccupa notamment de redonner de l'essor à l'industrie minière dont vivait Ilmenau. Dans l'ancien «Amthaus» (maison de l'administration), un petit musée informe sur les multiples activités du poète. Devant l'édifice, on peut voir une statue en bronze du poète assis sur un banc.

Auf dem 861m hohen Berg schrieb Goethe am 6. September 1780 an die Bretterwand eines Holzhäuschens die längst verblichenen Verse: „Über allen Gipfeln ist Ruh..." Als die Hütte 1870 abbrannte, wurden die Schriftzüge des Dichters nachgebildet. Auf dem benachbarten „Schwalbenstein" hat Goethe den 4. Akt seiner „Iphigenie" geschrieben. Ein auf runde Holzscheiben aufgebrachtes „G" markiert den von Ilmenau nach Stützerbach führenden Wanderweg „Auf Goethes Spuren". Er führt zu den Plätzen, wo sich der Dichter häufig aufgehalten hat.

It was here, on this 861-metre-high mountain, that Goethe composed one of his most famous poems - 'Über allen Gipfeln ist Ruh...' on 6 September 1780. He wrote the verses on the boards of a wooden hut and luckily this was copied down, for the hut burnt to the ground in 1870. It was also on the nearby 'Schwalbenstein' that Goethe wrote the fourth act of his drama 'Iphigenie'. A special path for ramblers who are interested in places associated with the great poet runs from Ilmenau to Stützenbach. It is named 'In Goethe's footsteps'.

Sur cette petite montagne haute de 861 mètres, Goethe écrivit un vers sur la façade d'une hutte en bois: «La paix enrobe toutes les cimes...». La cabane brûla en 1870, mais on reproduisit le souvenir qu'avait laissé le poète. C'est sur la colline voisine dite «Schwalbenstein» que Goethe écrivit le quatrième acte de son oeuvre «Iphigénie». Un «G» gravé sur un panneau en bois indique le chemin de randonnée qui conduit d'Ilmenau à Stützerbach. Ce chemin appelé «sur les traces de Goethe» emmène aux endroits où le poète aimait à s'isoler.

Der Ort liegt stellenweise über 800 m hoch und zählt damit zu den höchstgelegenen auf dem Kamm des Thüringer Schiefergebirges im Rennsteig-Gebiet, der Höhenwanderweg im Thüringer Wald, der stellenweise die Haupstraße der Stadt bildet. Ausgedehnte Wälder reichen bis an die Stadt heran. Seit 1932 ist Neuhaus ein vielbesuchter Höhenluftkurort und attraktiver Wintersportplatz. Eng verknüpft mit der Geschichte des Ortes ist die Entwicklung der Glasindustrie; auch begann man sehr früh mit der Porzellanherstellung.

Parts of Neuhaus lie at a height of over 800 metres, thus making it the highest place on the ridge of the Thuringian Slate Hills. It is situated on the Rennsteig, which in parts serves as the main street of the town. Large expanses of surrounding woodland extend to the town itself. Since 1932 Neuhaus has been a popular high-altitude health resort and an attractive winter sports centre. Closely associated with the history of the town is the development of the glass industry, and there was also an early porcelain manufactory here.

Située à 800 m d'altitude, Neuhaus est la plus haute localité de la crête de la «Thüringer Schiefergebirge» (Montagne d'ardoise de Thuringe). De vastes forêts s'étendent jusqu'à la lisière de la ville. Neuhaus est une station climatique et une station de sports d'hiver très fréquentée depuis 1932. L'histoire de la ville est étroitement liée au développement de l'industrie du verre. Des manufactures de porcelaine y furent également fondées très tôt. L'inventeur du four «Geissler», auquel il donna son nom, est né ici en 1815.

"Von der schönen alten Stadt am Thüringer Wald" spricht ein Chronist, die ihren Namen dem kleinen Flüßchen Schmalkalde verdankt. Die Stadt hat eine bewegte Geschichte. Wichtige Ereignisse der Reformation haben hier tiefe Spuren hinterlassen - verbunden mit Begriffen wie "Schmalkaldischer Bund", "Schmalkaldischer Krieg" und "Schmalkaldische Artikel". Den einstigen Reichtum verdankt die Stadt der Eisenerzgewinnung und ihrer Verhüttung: "Schmalkaldische Artikel" hatten einen guten Ruf. Die Innenstadt ist weitgehend erhalten geblieben.

Schmalkalden is an old and pretty town whose name derives from its situation on the little river Schmalkalde. The town has a turbulent past, especially during the time of the Reformation in the 16th century, when a number of momentous events took place here connected with the birth and spread of Luther's reforming Protestant movement - episodes which were eventually to affect the whole course of German history. In former times Schmalkalden owed its wealth to the mining and smelting of iron ore.

Dans une chronique, Schmalkalden qui doit son nom à un petit cours d'eau voisin, est qualifiée de «ville ancienne ravissante dans la Forêt de Thuringe». La ville a un passé mouvementé. Des événements importants de la Réforme y ont laissé des traces profondes qu'évoquent des noms tels que «l'Alliance de Schmalkalden» et la «Guerre de Schmalkalden». La ville doit son ancienne prospérité à l'exploitation et au traitement du minerai de fer. Les produits de Schmalkalden jouissaient d'une réputation considérable. La vieille-ville à pans de bois est très bien conservée.

TRUSETALER WASSERFALL

Der Trusetaler Wasserfall ist einer der interessantesten "Wasserspiele" Thüringens, die um die Mitte des vergangenen Jahrhunderts künstlich angelegt worden sind. Mit einer Fallhöhe von 50m stürzt das Wasser auf die Gesteinsmassen. Neben dem künstlichen Fall steigt man auf feuchten Felsentreppen hinunter. Das nasse Spektakel gehört zum gängigen Programm der Reisegesellschaften wie die Saalfelder Feengrotten oder die Marienglashöhle bei Friedrichroda. Von Bad Liebenstein ist der "Trusetaler" bequem zu erreichen.

TRUSETAL WATERFALL

The Trusetal waterfall is of interest to visitors to Thuringia because it is an artificial and not a natural creation, dating from the middle of the nineteenth century. The water descends fifty metres to the stony tract beneath, and hewn into the rock at the side is a flight of stone steps which are constantly damp from the spray. Today the waterfall, (along with the Saalfeld grottoes and the Marienglas cave near Friedrichsroda) is a standard beauty spot for parties of tourists. Trusetal can easily be reached from Bad Liebenstein.

CASCADE DE TRUSETAL

On pourrait croire que la cascade de Trusetal est une beauté naturelle alors qu'elle fut créée artificiellement vers le milieu du siècle dernier. Les eaux se précipitent d'une hauteur de 50 mètres sur des masses de rochers. On peut descendre au fond de la cascade par des escaliers taillés dans la roche à côté de la chute d'eau. Mais la promenade est glissante! Une visite à la cascade de Trusetal fait partie des programmes de tours touristiques au même titre que les grottes de stalactites de Saalfeld et la grotte de la Vierge à Friedrichroda. On accède facilement à Trusetal depuis Bad Liebenstein.

BAD LIEBENSTEIN, Postamt

Als im Jahre 1601 der Coburger Herzog Casimir "Kunde von der wunderbaren Wirkung des Brunnens" in Liebenstein bekam, ließ er das heilkräftige Wasser in eine Quelle fassen - so sagt es die Überlieferung. Heute ist es eines der bedeutendsten Bäder für Herz- und Kreislauferkrankungen in Deutschland. Im Bild sieht man Thüringens schönstes Postamt.

When in 1601 Casimir, Duke of Coburg, heard about the wonderful effects of the healing waters of Liebenstein, he decided to contain their as yet unregulated flow. Today Bad Liebenstein has retained its reputation as a foremost health resort, specializing in cardiac and circulatory diseases.

Selon la légende, lorsque le duc Casimir de Coburg entendit parler des «vertus miraculeuses de la source» de Liebenstein en 1601, il décida d'emprisonner son eau dans une fontaine. .» Aujourd'hui, la station thermale est une des plus réputées d'Allemagne pour les maladies du coeur et de la circulation.

BAD SALZUNGEN, Markt

Bad Salzungen – mit seiner über 1200jährigen Geschichte und Kurtradition seit 1801 – ist eines der ältesten Soleheilbäder Deutschlands. Die Solequellen, über Jahrzehnte als heilendes Wasser zur Linderung von Krankheiten genuzt, haben nichts an ihrer Heilkraft verloren.

Bad Salzungen, over 1200 years old, has been an official spa town since 1801, making it one of Germany's oldest. The water from the springs is used in the treatment of several ailments, particularly asthma and bronchitis.

Bad Salzungen, fondée il y a 1.200 ans, est une station thermale en vogue depuis 1801. Ses sources d'eaux salines sont utilisées notamment dans le traitement de l'asthme et la bronchite.

Unweit vom Erholungsort Friedrichroda liegt das neugotische Schloß Reinhardsbrunn. – Die "Thomas-Müntzer-Stadt" Mühlhausen war eine der bedeutendsten Schauplätze des deutschen Bauernkrieges. Sie wird aber auch nicht zu Unrecht das "Rothenburg Thüringens" genannt, da sich ihr Stadtbild weitgehend den mittelalterlichen Charakter bewahrt hat. Zeuge dafür ist die Pfarrkirche St. Blasii, eine dreischiffige gotische Hallenkirche, an der Johann Sebastian Bach von 1707 bis 1708 als Organist tätig war.

Not far from the health resort of Friedrichroda stands the neo-Gothic palace of Reinhardsbrunn. – The town of Mühlhausen set the stage for some of the crucial events of the brutal Peasants' War of 1524-5, and it was in the Marienkirche that the radical preacher Thomas Müntzer, incited the peasants to revolt against oppression. The town, often called the Rothenburg of Thuringia, has retained much of its medieval character, as may be seen from the church of St Blasius, a fine three-naved Gothic church where J.S.Bach was organist from 1707 to 1708.

Le château néo-gothique de Reinhardsbrunnen est situé à proximité du lieu de villégiature Friedrichroda. Il fut autrefois la résidence d'été et de chasse des ducs de Gotha. – Mülhausen, la «ville de Thomas Müntzer», le célèbre théologien, joua un rôle important durant la Guerre des Paysans. La localité a conservé sa physionomie médiévale avec des demeures à pans de bois et des architectures historiques intéressantes dont l'église paroissiale St-Basile, un édifice gothique de style Halle à trois nefs où Jean-Sébastien Bach fut organiste de 1707 à 1708.

MÜHLHAUSEN,

An die revolutionären Ereignisse des deutschen Bauernkrieges erinnert die Kornmarktkirche, die zu einer zentralen Gedenkstätte eingerichtet wurde. Im alten Rathaus tagte unter Leitung Müntzers der "Ewige Rat", der sich aus allen Schichten der Bürgerschaft der Stadt zusammensetzte. Auch ein großer Teil der Stadtbefestigung blieb erhalten, so ein nahezu 3 km langer Wehrgang, der auf der inneren Stadtmauer verläuft. Das turmgeschmückte Mühlhausen, "mulhusia turrita", war lange eine Freie Reichsstadt.

MÜHLHAUSEN

The Corn Market church is one of the principal memorials to the short-lived but catastrophic events of the Peasants' War in the 16th century. In the old town hall, one of the leaders of the revolt, the fiery preacher Thomas Müntzer, sparked off the insurrection in 1525 by convening a revolutionary council in which all ranks of citizens were represented. In the same year, Müntzer was beheaded near Mühlhausen, Luther withdrew his support, the uprisings were brutally suppressed, and the war came to a bloody end.

MÜHLHAUSEN

L'église «Kornmarktkirche» qui est devenue un mémorial de la Guerre des Paysans, rappelle les événements révolutionnaires de cette époque. Dans l'ancien hôtel de ville, le théologien Thomas Müntzer, adversaire de Luther, présidait le «Conseil éternel» formé de représentants de toutes les classes sociales de la ville. Mülhausen a également conservé une grande partie de ses fortifications dont le chemin de ronde long de trois kilomètres qui court sur l'enceinte intérieure. «Mulhusia turrita», la cité aux tours, fut longtemps une ville libre d'Empire.

Das Eichsfeld-Gebiet, im Nordwesten Thüringens gelegen, hat immer schon eine Sonderrolle in seiner wechselvollen Geschichte gespielt. Es ist weitgehend eine von ländlicher Kultur geprägte Landschaft und dem Boden müssen die Bauern in mühevoller Arbeit die Erträge abringen. Der überwiegende Teil der Bevölkerung bekennt sich zum katholischen Glauben. Bis weit in die Hälfte des 20. Jahrhunderts bestanden viele Klöster und Schwesternhäuser. Das Benediktinerinnenkloster Zella bestand von 1175 bis 1810.

Eichsfeld, in the north west of Thuringia, has had various rulers over the centuries, and has always played a special role in the unsettled history of the state. The scenery of Eichsfeld is extremely attractive, for this is largely an agricultural region where the soil is very poor. Most of the population is Roman Catholic, and up to the middle of the twentieth century a large number of monasteries and convents could be found here. Kloster Zella, pictured below, housed a community of Benedictine nuns from 1175 to 1810.

L'Eichsfeld situé au Nord-Ouest de la Thuringe a toujours joué un rôle particulier dans l'histoire mouvementée du pays. Cette région à vocation rurale ne possède que des sols maigres péniblement cultivés par les paysans. La majeure partie de la population est catholique et de nombreux monastères et couvents furent fondés dans l'Eichsfeld jusqu'au milieu du 20e siècle. Le couvent de Bénédictines Zella, créé en 1175 exista jusqu'en 1810. Une des plus célèbres églises de pèlerinage de l'Eichsfeld se dresse sur le mont dit «Hülfensberg» près de Geismar.

DINGELSTÄDT/Eichsfeld

In Dingelstädt im Eichsfeld steht das große ehemalige Franziskaner-Kloster, in dem heute ein Gymnasium untergebracht ist. Im nahegelegenen Ort Kefferhausen kann man an idyllischer Stelle im Wald die Quelle des Unstrutflusses besichtigen, der ein Nebenfluß der Saale ist.

In Dingelstädt, in the Eichsfeld region, stands a former great Franciscan monastery whose buildings now house a high school. In the nearby village of Kefferhausen, in an idyllic woodland spot, can be found the source of the river Unstrut, a tributary of the Saale.

L'ancien monastère de Franciscains de Dingelstädt abrite aujourd'hui un lycée. Près de la localité voisine de Kefferhausen, la rivière Unstrut prend sa source à un endroit idyllique de la forêt.

▲ DINGELSTÄDT, Gymnasium im ehemaligen Franziskaner-Kloster   ▼ UNSTRUT-QUELLE in Kefferhausen bei Dingelstädt

HEILIGENSTADT im Eichsfeld-Gebiet

Das Zentrum des Eichsfeldes ist Heiligenstadt. Das älteste Gebäude ist die Stiftskirche St. Martin, eine gotische Basilika. Auch die Ägidien- und die Marienkirche sind gotische Hallenkirchen. Der Schriftsteller Theodor Storm war von 1856 bis 1864 hier als Kreisrichter tätig.

The health resort of Heiligenstadt is situated at the centre of the region known as Eichsfeld. The oldest building in Heiligenstadt is the 13th century collegiate church of St Martin, a Gothic basilica. The German Romantic novelist and poet Theodor Storm lived in Heiligenstadt from 1856 to 1864.

La station climatique de Heiligenstadt est le centre de la région de l'Eichsfeld. Le plus ancien édifice de la ville est la basilique gothique St-Martin. Les églises Ägidienkirche et Marienkirche sont également des églises gothiques de style Halle. L'écrivain Theodor Storm y exerça les fonctions de juge de district entre 1856 et 1864.

HEILIGENSTADT ▼ Klauskapelle am Kurpark ▲ Stadtblick mit Kath. Marien-Kirche ▼ Wilhelmstraße

HEILIGENSTADT / Eichsfeld

In den zwanziger Jahren ließen sich in Heiligenstadt die Redemptoristen nieder und bauten ihr Kloster "An der Rinne" unter dem Iberg. Exerzitien, Missionen und Aushilfe in der Seelsorge waren die besonderen Aufgaben der Redemptoristen, denen sie noch heute nachgehen. Während des Zweiten Weltkrieges wurde das Kloster von der Wehrmacht beschlagnahmt und diente als Lazarett. Es überstand alle Schwierigkeiten in der DDR-Zeit. Das Heiligenstädter Redemptoristenkloster verfügt über eine der wertvollsten Klosterbibliotheken des Eichsfeldes.

HEILIGENSTADT / Eichsfeld

In the nineteen-twenties a religious congregation known as the Redemptorists settled in Heiligenstadt and built a monastery 'An der Rinne'. The order, founded in Italy in 1732, concentrates on special tasks such as spiritual exercises and missionary and pastoral work. In the Second World War, the monastery was seized by the German armed forces and used as a hospital. Untouched by the Communist rulers of former East Germany, the monastery is of note because of its library, one of the most valuable collections of its kind in the Eichsfeld area.

HEILIGENSTADT/ Eichsfeld

Dans les années vingt, l'ordre des Rédempteurs, fondé en 1732, vint s'installer à Heilingenstadt où il construisit le monastère «An der Rinne». Jusqu'aujourd'hui, les retraites, l'oeuvre missionnaire et le pastorat font partie des activités des Rédempteurs. Durant la seconde guerre mondiale, l'armée allemande confisqua le monastère pour en faire un lazaret. Le monastère des Rédempteurs survécut à tous les hasards du socialisme de la République démocratique allemande. Il renferme une des plus précieuses bibliothèques de cloîtres de la région.

WORBIS / Eichsfeld

Während anderswo im Eichsfeld viele Orte über Wassermangel klagen, ist Worbis "auf Wasser gebaut", denn hier liegen die Quellen von Wipper und Hehle direkt in der Stadt. Die Geschichte des Ortes ist auf das engste mit dem 1825 aufgelösten Franziskanerkloster verbunden. Im benachbarten Kirchohmfeld hat man als Erinnerung an den Komponisten Heinrich Werner (1800-1833), der Goethes Verse „Sah ein Knab ein Röslein stehn" vertont hat, einen Gedenkstein errichtet. Im Fachwerkhaus unten im Bild befindet sich die "Frauenwerkstatt".

WORBIS / Eichsfeld

While some parts of the agricultural region knows as Eichsfeld complain of water shortages, the town of Worbis is virtually built on water, for here, right in the middle of the town, can be found the sources of the rivers Wipper and Hehle. The history of Worbis is closely bound up with the Franciscan monastery that existed here until 1825. In nearby Kirchohmfeld there is a monument to the memory of the composer Heinrich Werner (1800-1833). In the timbered house (picture beneath) is the socalled 'women's workshop.

WORBIS / Eichsfeld

Alors que de nombreuses localités de l'Eichsfeld se plaignent de manquer d'eau, Worbis en regorge car elle est «bâtie sur l'eau». En effet, la Wipper et la Hehle prennent leurs sources sous son sol. L'histoire de la ville est étroitement unie à celle du monastère de Franciscains qui fut dissout en 1825. Un monument commémoratif fut érigé dans le lieu voisin «Kirchohmfeld» en souvenir du compositeur Heinrich Werner (1800-1833). Le bel édifice à colombages montré sur la photographie ci-contre abrite «l'atelier des femmes».

Nordhausen ist das Tor zum Südharz. Die Stadt wurde im Zweiten Weltkrieg schwer zerstört und bis heute sind diese Schäden noch nicht vollständig beseitigt. Sehenswert ist das alte Rathaus, das nach 1945 im Stil der Spätrenaissance originalgetreu wiederaufgebaut wurde. An der Westseite steht der Roland, der bezeugt, daß die Stadt im Mittelalter die Rechte einer Handelsstadt besaß. Von der Stadtmauer blieben nur Reste erhalten. Der aus dem 12. Jahrhundert stammende Dom jedoch, der ebenfalls zerstört war, ist wieder aufgebaut worden.

Nordhausen is the gateway to the southern Harz mountains. The town was largely destroyed in the Second World War and traces of the bombardment are still evident. The town hall, a faithful replica of the original Late Renaissance building, was erected after 1945 and is well worth a visit. In the Middle Ages this was an important trading town, as can be seen from the statue of Roland (a symbol of free trade) that stands on the west side of the town hall. Little remains of town defences, but the old cathedral, also destroyed in the last war, has been rebulit.

Nordhausen, porte vers le Sud de la région Harz, fut dévastée durant le deuxième guerre mondiale et ne s'est pas encore remise entièrement de ses blessures. L'ancien hôtel de ville fut reconstruit dans son style Renaissance d'origine après 1945. La statue de Roland qui s'élève sur son côté gauche témoigne que la ville possédait les droits d'une cité marchande au moyen-âge. Il ne reste que de rares vestiges de son ancienne enceinte fortifiée. Par contre, on a reconstruit la cathédrale du 12e siècle, détruite durant la guerre.

Bekannt ist Sondershausen vor allem als Musikstadt. Seit 1801 besteht das Loh-Orchester; sein berühmtester Dirigent war Max Bruch. Das Schloß in Sondershausen ist das größte in Nordthüringen, einst Residenz des Fürstenhauses Schwarzburg-Sondershausen. Es ist zu besichtigen, und man nutzt auch das frühere fürstliche Theater wieder zu Aufführungen. Seit 1892 wurde in Sondershausen Kali gefördert. Die Bergbauanlagen sind als ein technisches Denkmal erhalten geblieben. Die reizvolle Umgebung der Hainleite lockt zu ausgiebigen Wanderungen.

For two centuries, Sondershausen has been famous as a town of music. The Loh orchestra was founded in 1801 and its most illustrious conductor was Max Bruch. The castle of Sondershausen, once the residence of the Counts of Schwarzburg-Sondershausen, is the largest in north Thuringia. The potash mines that came into operation in Sondershausen at the end of the 19th century have been preserved as an industrial monument, while the charming surrounding countryside of the Hainleite attracts walkers and ramblers.

Sondershausen a la réputation d'être une ville musicale. Elle possède le célèbre orchestre Loh dont le chef d'orchestre le plus célèbre fut Max Bruch. Le château de Sondershausen, le plus grand de Thuringe, fut autrefois la résidence de la maison princière Schwarzburg-Sondershausen. Il est ouvert au public et abrite l'ancien théâtre princier où des représentations ont de nouveau lieu aujourd'hui. La potasse fut exploitée à Sondershausen dès 1892. Les installations minières ont été conservées et peuvent être visitées.

Die Wasserburg Heldrungen zählt zu den mächtigsten in Mitteleuropa und ist mit der Geschichte des Bauernkrieges eng verknüpft. Sicher ist, daß Thomas Müntzer nach der Niederlage des von ihm angeführten Bauernheeres bei Frankenhausen gefangen genommen und nach Heldrungen gebracht wurde. Die Burg befand sich damals in Besitz der Mansfelder Grafen. Es ist aber nicht belegt, daß Müntzer tatsächlich im sogenannten "Thomas-Müntzer-Turm" gefangen gehalten wurde. Am 27. Mai 1525 wurde er im Lager der Fürsten vor Mühlhausen hingerichtet.

The moated castle of Heldrungen is one of the largest in Central Europe and its history is closely bound up with that of the Peasants' War in the 16th century (see p. 72). After the crushing defeat of the peasants' army in Thuringia, their leader, Thomas Müntzer, was taken from the site of the battle near Frankenhausen to Heldrungen and there kept prisoner. Müntzer and a number of other insurgents were executed on 27 May 1925, in the camp of the Counts of Mansfeld, at that time the owners of Heldrungen.

Le château entouré de douves de Heldrungen est un des plus imposants d'Europe centrale. Son histoire est étroitement liée à la Guerre des Paysans qui eut lieu de 1524 à 1525. Le théologien Thomas Müntzer fut emprisonné dans le château qui appartenait alors aux comtes de Mansfeld, après la défaite près de Frankenhausen des troupes de paysans dont il avait pris la tête. Mais il n'est pas certain qu'il fut jeté dans la tour qui porte aujourd'hui son nom. Le 27 mai 1525, Müntzer était décapité avec d'autres rebelles dans le camp du prince de Mülhausen.

Zum Gedenken an die 450jährige Wiederkehr der Schlacht bei Frankenhausen am 15. Mai 1975 schuf der Maler Werner Tübke das monumentale Panorabild "Frühbürgerliche Revolution in Deutschland". Es befindet sich genau an der Stelle, an der 1525 die Schlacht am Weißen Berg zwischen dem Bauernheer unter Führung Müntzers und dem hessisch-braunschweigischen Fürstenheer tobte. Die Maße des Rundbildes sind gewaltig, wovon Sie auf dieser Seite einen Ausschnitt sehen. Es ist 123 Meter lang und 14 Meter hoch – Tübke hat 12 Jahre mit seinem Team daran gearbeitet.

In order to commemorate the 450th anniversary of the Battle of the White Hill near Frankenhausen on 15 May 1525, the painter Werner Tübke created a panoramic painting of this early and bitter struggle of ordinary German.people to gain freedom.The painting marks the very spot where battle raged between an army of peasants led by the rebellious Thomas Müntzer and the forces of Hesse-Brunswick. The measurements of the round picture are astounding: it is 123 metres long and 14 metres high and took twelve years to complete.

En commémoration du 450e anniversaire de la bataille de Frankenhausen, le peintre Werner Tübke réalisa l'oeuvre monumentale «La première révolution populaire en Allemagne», installée le 15 mai 1975 à l'endroit précis de la bataille qui se déroula au lieu-dit Weissen Berg entre l'armée de paysans conduite par Thomas Müntzer et les troupes du prince de Hesse-Braunschweig. Tübke travailla 12 ans au tableau panoramique immense qui a une longueur de 123 mètres et une largeur de 12 mètres.

Wer die eigentümliche Anmut kleiner Städte liebt, sollte sie auch aufspüren; davon kann Sömmerda etwas vermitteln. Es liegt in der fruchtbaren Landschaft des Thüringer Beckens, eingebettet in die Niederung der Unstrut. Sömmerda bietet Sehenswertes auf kleinem Raum: Das Erfurter Tor, ein im Renaissancestil erbautes Rathaus, sowie die Pfarrkirche St. Bonifatius. In der Nachbarstadt Weißensee befindet sich die Runneburg, die mit ihrer 1,5 Hektar großen Innenfläche zu den größten romanischen Burganlagen Deutschlands zählt.

Anyone who loves the singular charm of little towns will appreciate a visit to Sömmerda, situated in the fertile lands of the Thuringian basin, in the lowlands of the Unstrut valley. For a small town, Sömmerda offers a number of attractions, such as the Erfurt Gateway, the town hall in Renaissance style and St Boniface's church. In nearby Weissensee stands the 12th century castle of Runneberg, founded by a woman, Jutta von Staufen. Runneberg is one of the largest Romanesque castles in Germany.

Le moulin à vent situé près de Kölleda fait partie des curiosités pittoresques de la région. A proximité, Sömmerda est un petit bourg ravissant niché sur une rive de l'Unstrut, au coeur du paysage fertile du bassin de Thuringe. Il abrite des monuments intéressants tels que la Porte d'Erfurt, un hôtel de ville de style Renaissance et une église paroissiale dédiée à St-Boniface. La petite ville voisine de Weissensee possède un des plus grands châteaux de style roman d'Allemagne: la Runneburg qui a une surface de 1,5 hectares.

KYFFHÄUSER-DENKMAL

Vom Kyffhäuser erzählt man sich die Sage, daß der Kaiser Barbarossa in einer Höhle schlafe und seiner Wiederkunft harre. Er würde aber aufwachen und den Deutschen ein starkes Reich errichten. Mit der Reichsgründung 1871 fanden solche Vorstellungen ihre ausdrucksstarke Verkörperung in monumentalen Denkmälern. So auch auf dem Kyffhäuser, diesem ganze 19 km langen und nur 7 km breiten Berg-rücken, auf dem ein 81 m hoher Turm steht. Verziert mit dem 9 m hohen Reiterstandbild Kaiser Wilhelms I. und mit dem auf einer Steinbank sitzenden Kaiser Barbarossa.

KYFFHÄUSER MONUMENT

The saga of Kyffhäuser relates that the Emperor Barbarossa is not dead, but sleeping at a stone table in a cave in Kyffhäuser. When Germany was unified in 1871, such legends gained new significance, and a number of vast monuments were erected as symbols of the consolidation of the German state. One of them, an 81-metre-high tower, now stands near Halle on Kyffhäuser, a ridge 19km long and only 7 km wide. Barbarossa's statue portrays the long-bearded emperor on his stone bench, with the equestrian statue of Emperor Wilhelm I for company.

MONUMENT DE KYFFHÄUSER

Le Kyffhäuser est une croupe montagneuse de 19 km de longueur et de 7 km de largeur. De nombreuses légendes l'entourent dont celle de l'empereur Barberousse (Barbe-Rouge) qui dormirait dans une de ses grottes, mais se réveillerait un jour pour récréer un puissant empire allemand. La création du deuxième Empire en 1871 parut combler ces espoirs et entraîna la réalisation d'oeuvres monumentales dans toute l'Allemagne. Au Kyffhäuser, on construisit une tour haute de 81 mètres devant laquelle se dressent la statue équestre haute de 9 mètres de l'empereur Guillaume Ier et la statue de l'empereur Barberousse assis sur un banc de pierre.

Ist schon die Aussicht von den Terrassen am Fuße der riesigen Steinsäule überwältigend, so wird sie noch gesteigert, wenn man in ihre Krone hinaufsteigt. Wohin auch immer die Augen schweifen, der Ausblick ist grandios. Jenseits des Flusses Helme liegen die Höhenzüge des Harzes, und im Osten Sangerhausen mit seinen Anlagen des Kupferschieferbaus. In Richtung Süden erkennt man die Thüringer Pforte. Westlich liegt Nordhausen und die Windleite. Zu Füßen des Denkmals breitet sich die "Goldene Aue" aus.

Even from the terrace of the huge stone Kyffhäuser monument the view is breathtaking, and it is even more overwhelming from the top. In every direction there is a grandiose panorama which extends for miles in every direction. On the far side of the river Helme there are the distant mountains of the Harz, while to the east stands Sangerhausen with its slate hills and copper mines. To the west is Nordhausen and the sandstone heights of Windleite, and at the foot of the monument lie the expanses of the so-called 'Golden Meadow'.

Le panorama que l'on découvre depuis la terrasse qui constitue le pied du monument du Kyffhäuser est déjà très impressionnant, mais il devient grandiose quand on monte au sommet de l'architecture imposante. Le paysage s'étale à perte de vue. Les hauteurs du Harz se dressent au-delà de la rivière Helme; à l'Est, on aperçoit Sangerhausen. Nordhausen s'étend à l'Ouest tandis que le paysage magnifique appelé «Goldene Aue» (les champs d'or) se déroulent devant le monument.

© Copyright by:
ZIETHEN-PANORAMA VERLAG
D-53902 Bad Münstereifel · Flurweg 15
Telefon: (0 22 53) 60 47

2. Auflage 1998

Redaktion und Gestaltung: Horst Ziethen
Textautor u. Redaktion. Beratung: Günter Gerstmann
Englische Übersetzung: Gwendolen Freundel
Französische Übersetzung: France Varry

Druck, Satz und Lithografie:
ZIETHEN-Farbdruckmedien GmbH
D-50999 Köln · Unter Buschweg 17
Fax: (0 22 36) 6 29 39

Buchbinderische Verarbeitung:
Leipziger Großbuchbinderei, Leipzig

Printed in Germany

ISBN 3-929932-68-7

BILDNACHWEIS / TABEL OF ILLUSTRATIONS / TABLE DES ILLUSTRATIONS
                                     Seiten:
Horst Ziethen...............................11, 12/13, 15, 16, 17, 24, 25, 28, 30, 36, 38, 39, 40 (2), 41, 43, 44, 45, 49,
                                     59 (2), 60 (2) ,61, 63 (2),66, 70, 74 (2), 75 3), 76 (2), 77 (2), 78 2), 79
Fridmar Damm..............................9, 10, 18 (2), 20, 26, 27, 29 u. Rücktitelbild, 30 u. r., 35(4), 36u.r., 37, 42,
                                     48, 52, 53, 57, 58, 62, 65, 68, 69 (2), 69, 71, 72, 73, 80, 82, 83
DLB / B. Lisson............................22 (2), 23, 32, 46, 47, 50, 51, 54 u. Titelbild, 56, 64
Helga Lade / BA...........................21, 55, 67
Jürgens Ost- u. Europa-Photo......33, 34
Stuttgarter Luftbild / Elsässer.......19, 84

Seite 14: Kunstsammlung der Wartburg / Foto: Günter Pambor
Seite 81: Ausschnitt aus dem Bauernkriegs-Panorama im Thomas-Müntzer-Museum, Frankenhausen -
          von Werner Tübke / Foto: G. Murza – © VG Bild-Kunst, Bonn 1997
Seite 31: Klassiker-Collage – 3 Bildreproduktionen von der Stiftung Weimarer Klassik- Museum
          (1.Reihe/3.Bild, 2.Reihe/2. Bild, 3.Reihe/4. Bild) – die Fotos sind von S. Geske und A. Kittel.
          Die restlichen 9 Bilder stammen vom Bildarchiv Preußischer Kulturbesitz, Berlin.

Kartennachweis:
Linke Vorsatzseite: Ausschnitt aus der Berann-Deutschland-Panorama-Karte,
                           erschienen im © Maier's Geografischer Verlag.
Rechte Vorsatzseite: Aktuelle Thüringenkarte von der Thüringer Tourismus GmbH, Erfurt
Historische Nachsatzseite: Aus Stieler's Handatlas / Archiv ZIETHEN-PANORAMA VERLAG